Les THIBAULT 3

チボー家の人々

美しい季節 I

ロジェ・マルタン・デュ・ガール
山内義雄＝訳

白水 u ブックス

チボー家の人々3　美しい季節I　目次

一　ジャック、エコル・ノルマルの入学試験に合格する――アントワーヌ、ジャックと語る――発表――ジャック、ダニエルやバタンクールといっしょに帰る……5
二　パクメルの一夜――ダニエル、ジャックを紹介する――晩餐、ジュジュおばさん。ポール。マダム・ドローレスと孤児の少年。ダニエルとリネット。ジャック、あわただしく席をはずす――ダニエル、リュドウィクスンからリネットを奪う……43
三　アントワーヌ、シャール氏の訪問を受ける――デデットの奇禍――手術――ラシェル……89
四　シャール氏、警察署へ出かける――アントワーヌ、ラシェルを伴って昼食を共にする……136
五　ジャック、メーゾン・ラフィットへ出かける――ジゼールとの

午後——チボー氏、兄弟に向かって戸籍簿の記載変更の意図を告げる——夕食後、アントワーヌとジャック、フォンタナン夫人を訪問。ニコルといいなずけの男……163
六　ジャック、ジェンニーにバタンクールの結婚式の話をする……203
解説（店村新次）……221

一

ふたりの兄弟は、リュクサンブール公園の鉄柵にそって歩いていた。おりから、元老院の時計台では、五時半が鳴ったばかりだった。

「あがってるな」と、アントワーヌが言った。しばらくまえから、ジャックの足が速くなったので、彼は疲れさせられていた。「なんていう暑さだ。てっきり夕立がくるぞ」

ジャックは歩みをゆるめた。そして、こめかみをしめつけていた帽子をぬいだ。

「あがってるって？　じょうだんじゃない。それどころか。ぼくを信じない？　われながら落ちついてるのに驚いてるんだ。このふた晩、ぼくは死んだようによく眠れた。朝になって、ぐったりしちまうほどだった。とても落ちついてる、だいじょうぶ。兄さんは、わざわざやって来てくれなくてもよかったんだ。たくさん仕事が待ってるのに！　それに、ダニエルだって来てくれるんだ。そう、ほんとに。けさ、わざわざカブールから帰って来てくれたんだ。いましがた電話で、発表の時間をきいてよこした。こんなことにかけては、とても親切な男なんだ……バタンクールも来ているはずだ。ひとりぼっちというわけじゃないんだ」彼は時計を出してみた。「いよいよ、あと三十分……」《なんていらいらしていることだろう》と、アントワーヌは思った。《もっとも、このおれにしても少しはそうだが。しかし、ファヴリも、合格受けあいだと言ってくれているし》彼は、かつて自分自身の場合によくやったように、つとめて不吉な仮定をはらいのけようとした。彼は、弟のほうを、父親のような目つきでちらりとながめてから、口をしめたままで《わが胸のうち……わが胸のうち……》と、鼻うたを歌った。《や、けさオルガのやつの歌ってたのが、どうしても忘れられない。たしかデュパルク（フランス現代の作曲家）だったな。ところであいつ、七号室の患者に針をうつことをブランに言うのを忘れずにいてくれるといいが。わが胸のうち、ナ・ナ・ナ……》

《もし、おれが合格したら》と、ジャックのほうでは、考えていた。《おれははたして、ほんとに幸福になれるだろうか？　そうだ、彼らのほうが、ずっと幸福になるんだろう》彼は、アントワーヌや父のことを考えて、そんなことを思っていた。

「ねえ」と、彼は思いつくまま言った。「このあいだ、メーゾン・ラフィットで食事をしたときのことをおぼえてる？　ちょうど口頭試験がすんだときで、ぼくはすっかりいらいらしていた。あのとき、お父さんは、食卓に向かいながら、例のちょうしでこう言ったっけ。《もし、おまえが合格しなかったら、われわれはどう処置したらいいものかな？》って」

彼はちょっと口をつぐんだ。もうひとつ、べつな思い出が浮かんだからのことだった。《おれはきょう、だいぶいらいらしている》彼は微笑しながら兄の腕をつかんだ。

「いや、兄さん、そのほかにもひとつ、じつにとほうもないことがあるんだ。ちょうどそのあくる日のこと、その晩がすんでのあくる日だ……これはぜひ、兄さんに聞いてもらわなければならない……お父さんは、ちょうどぼくのからだがあいていたので、お父さんの名代に、クレスパンさんのお葬式に行ってくれと言った。おぼえてる？　ところが、そのお葬式で、じつになんとも不可解きわまることが起こったんだ。ぼくは、時間よりも早く向こうへ行った。ちょうど雨が降っていた。ぼくは会堂の中へはいって行った。ここでちょっと言っておかなければならないが、ぼくは、午前中をむだにさせられて、たまらなくじりじりしていた。だが、いずれあとでわかるが、それだけではどうしても解釈がつかない……なにしろ、ぼくははいって行った。そしてあいてる列に腰をおろした。すると、ひとりの神父さんが、ぼくのすぐそばに来て腰をおろした。ねえ、椅子はほかにもたくさんあいていた。にもかかわらず、その神父さんは、ぼくのすぐそばに来て、ぴったりくっついて席を取った。若い神父さん。たしかに神学生にちがいない。髪をきれいにそって、小ざっぱりした水歯みがきといったようなにおいがしていた。ところが、その黒い手袋というやつがたまらない。しかもとりわけ、その傘というやつが。黒い柄のついた大きな傘で、ぬれねずみになった犬とでもいうようなにおいがしていた。兄さん、笑っちゃいけない。いまにわかるんだ。それからというもの、ぼくの頭には、その神父さんのことしかなかった。彼は、鼻を祈禱書の中に突っこみ、唇をもぐもぐ動かしながら、お勤めについて行っていた。それはいい。ところが聖体の奉挙《エレヴァシヨン》（祈禱のあいだに、司祭が聖パンと聖酒の杯とをささげること）のときになると、その神父さん、自分の前にあった祈禱台をつかうかわりに、ゆかにひざまずいたかと思うと、ぺたりと石畳の上にひれ伏したんだ。ぼくは、逆に、つっ立ったままだった。すると、彼は身を起こしながらぼくを見た。その目がぼくの視線にぶつかった。そして、たしかに、ぼくの態度に、何か突っかかるようなものをみとめたんだろう。ひとみをぎょろりとまぶたのかげに動かした彼の顔の上に、ぼくは、いやに気どった非難の色——何かしらわざとらしいもったいぶったようす、何かしらむかむかさせるようなものを見たんだ！　それがじつに……ぼくは、どうしてそんな気持ちになったか、いま思いだしてもわからない。ポケットから名刺を一枚とり出すと、その上に横に走り書きして、それを彼に突きつけてやった」（だが、事実はけっしてそうではなかった。ジャックはそのとき、そうしてみてもいいな、と想像したにすぎなかった。なぜ嘘をついたのだろう？）「すると、やつは顔をあげた。彼はためらっていた。ぼくは……そうだ……ぼくは、名刺をやつの手に握らせずにはいられなかった！　やつは、それに一瞥をあたえた。やつは、あっけにとられてぼくを見つめた。そして、帽子を腕の下にすべりこませ、大きな傘をそっと手にしたと思うと、たちまち退散してしまった……そう……まるで隣にいた男がきつねつきだったとでもいうかのように……そして、このぼくも、そこにじっとしていられなかった。腹が立って、腹が立って！　ぼくは、葬列の出るのを待たずに出てしまった」

「だって……いったい名刺になんて書いたんだ？」

「そうそう、名刺ね！　ばからしいんだ。口に出すのもきまりが悪い。ぼくはこう書いた。《予は、信ぜず！》ってね。感嘆符をつけたんだ！　そして、アンダーラインまでしてやった！　名刺の上に！　なんてばかだったんだろう？　《予は、信ぜず！》」彼は、目をくりくりまるくした。そして、ひとつところをじっと見つめた。「第一、人間にそんなことが断言できるだろうか？」彼はちょっと口をつぐんだ。そして、その目は、おりからメディシスつじを横ぎって行く、一分のすきもない喪服姿の青年のあとを追っていた。「ばかばかしい」彼はたちまち、何か苦しい打ちあけごとでもあるかのように、落ちつかない声で言葉をつづけた。「ぼく、たったいま、何を考えたかわかる？　ぼくは、もし兄さんが死にでもしたら、あそこを行く男が着てるような、ぴったりからだに合った黒のスーツを着たいと思っていたんだ。しかも、ちょっとのあいだ、ぼくは兄さんが死んでくれないかなあ、とさえ思ったんだ――たまらなく……兄さん、ぼく、瘋癲《ふうてん》病院の監禁室で死にそうだとは思わない？」

アントワーヌは、肩をすくめてみせた。

「むしろそのほうがいいかもしれない」と、ジャックは言葉をつづけた。「ぼくは、これが狂気の究極だというところまで自分自身を分析してやろうと思うんだ。ねえ、ぼくは、非常に聡明な男が気ちがいになるところを書いてみようと思ったことがある。その男の一挙一動は、すべて常軌を逸している。だがそれでいて、その男は、じつに七めんどうな反省のあとでなければけっして行動に出ない。そして、自分では、じつに厳格な論理にしたがってしか行動しないんだ。わかる？　ぼくは、そうした知能の中心に自分をおいて、そして……」

アントワーヌは黙りつづけていた。それは、彼が好んでとるところの態度のひとつであり、すっかり身についたものになっていた。だが、そうした彼の沈黙はきわめて親切なものであり、第三者の考えは、それによって麻痺させられるかわりに、あおり立てられさえするのだった。

「ああ、勉強する時間さえあったら、いろんなことをやってみるんだが」と、ジャックはためいきをついた。「いつもいつも試験ばかりだ。しかもぼくは、もう二十歳だ。こわいことだ！　それに、ヨードチンキをつけてるのに、また新しいおできができやがった」と、彼はその手を首すじのところへ持っていった。カラーでこすれるので、ねぶとのさきが炎症をおこしていた。

「ねえ、兄さん」と、彼は言葉をつづけた。「兄さんは、二十歳のときには、もう子供ではなかったんだな？　ぼく、よくおぼえている。だが、このぼくは、少しも変わっていないんだ。じつのところ、きょうのぼくは、十年まえのぼくとまったく同じように思われるんだ。そう思わない？」

「思わないな」

《こいつの言うのはもっともだぞ》と、アントワーヌは思った。《その連続の意識というやつ、あるいはむしろ、その意識の連続というやつ……ひとりの老人が〈わしは、昔、馬飛び遊びというのが好きでしてな〉と言う。しかも同じ足であり、同じ手であり、同じ人間に変わりがないんだ。このおれにしたっておんなじだ、コトレにいたとき、腹が痛みだしてこわかったあの晩のこと。しかもおれは、自分の部屋から出るだけの勇気さえなかった。それがじつにこのチボー先生……われらが部長……なかなかの腕っこき……》と、彼はさも、自分の病院の医者のひとりが、自分のうわさをしてでもいるようにつけ加えた。

「うるさい？」と、ジャックがたずねた。彼は帽子をぬいで、ひたいをふいた。

「なぜさ？」

「わかるさ。ぼくの言うことなんかほとんど聞いててくれないんだもの。熱に浮かされた人がしゃべってるくらいにしか思っていないんだもの」

「じょうだんじゃない」

《もし耳の湿布をしても熱がさがらないようだったら……》と、アントワーヌは思った。彼は、けさ病院につれてこられた子供の、その苦しそうな顔を思い浮かべていた。

《わが胸のうち……わが胸のうち……ナ・ナ・ナ……》

「兄さんは、ぼくがあがってると思いこんでる」と、ジャックは言葉をつづけた。「はっきり言っとくけど、それはまったくの思いちがいだ。そうだ、兄さん、打ちあけて言っておく。ぼくはときどき……そうだ、ぼくはときどき、むしろはねられたほうがいいとさえ思うんだ！」

「なぜさ？」

「のがれるために！」

「のがれるって？　何から？」

「すべてのものから！　歯車から！　兄さんから、彼らから、兄さんたちみんなから！」

アントワーヌは、むちゃを言うなと口に出すかわりに——彼は、心の中ではそう思っていた——くるりと弟のほうを向きなおると、しげしげとその顔を見つめた。

「背水の陣だ」と、ジャックはつづけた。「出発するんだ！　そうだ、出発するんだ、ひとりで出発するんだ、どこへだってかまわない！　そして、向こうへ行ったら、落ちつくこともできるだろう。勉強もできるだろう」彼は、自分が出発しないだろうことをよく知っていた。それだけさらに、自分の夢に、はげしく身をまかせていた。彼は、そう言ってから口をつぐんだ。だが、ほとんどすぐに、苦しそうな微笑とともに言葉をつづけた。

「向こうへ行ったら、そうだ、たぶん、向こうへ行ったら、はじめて彼らをゆるしてやれるかもしれない」

アントワーヌは立ちどまった。

「おまえ、そんなことを考えてたのか？」

「どんなこと？」

「彼らをゆるすと言ったじゃないか。それはいったい誰のことだ？　いったい何をゆるすというんだ？　少年園か？」

ジャックは、いじわるそうな眼差しを兄へ投げた。そして、肩をすくめてみせてから、歩きはじめた。いうまでもなくクルーイにいたときのことにちがいなかった！　だが、説明したところでなんになろう！　兄さんには、とてもわかりっこないんだから。

それに、ゆるすという考え、それはいったい何をさしているのだろう？　ジャック自身にも、それが的確にはわかっていなかった。それでいながら、彼はたえず、つぎのような考えに代わるがわるぶつかっていた。ゆるすか、それとも逆にうらみをあおり立てるか。甘受し、賛同し、他の歯車の中にあって、自分もひとつの歯車になるか。それとも逆に、自分の心に動いている破壊の力をそそり立て、あらゆるうらみをこめて、あの……彼には、それを的確に言いあらわすことができなかった——既成的生活、道徳、家庭、社会に向かっておどりかかっていったものか？　古い怨恨、そうだ、それはすでに彼の少年時代に発したところのものだった。いつも人に踏みつけられていたというばくとした感情、ある程度尊敬を受くべき身でありながら、これまで絶えず、人々から無礼なとり扱いをうけていたという感情。そうだ、もしのがれ出ることさえできたら、自分はたしかに、いつもほかの人たちがそれを得させてくれないといって非難していたあの心の中の平衡を見いだすことができるにちがいない。

「向こうへ行ったら、勉強ができると思うんだ」と、彼はくり返した。

「向こうって、どこのことだ？」

「ほうら、兄さんは、それがどこだってきいている！　兄さんにはとてもわからないんだ！　兄さんは、いつもほかのものと歩調をあわせてきた。兄さんは、いつも自分の道を愛していた」

彼はとつぜん、兄について、これまでほとんどしなかったような考え方をした。彼の目には、兄は、満ち足りた勤勉な人間としてうつっていた。精力？　その点は認める。だが知能については？　動物学者としての知能なんだ！　いかにも実証的なその知能は、科学的研究の中にその全部の発展をしめしている！　活動という観念のうえにだけひとつの哲学を築きあげ、それで満足しきっている知能！　しかも――さらにおそろしいのは――あらゆるものから、そのかくれた価値、つまりはその真の意義、宇宙の美とも称すべきものを奪い去ってしまう知能！

「ぼくは、兄さんとはちがうんだ」と、彼は熱のこもったちょうしで断言した。そして、兄のそばから少し離れて、ひとり黙って人道のふちを歩いて行った。

《ここにいると、おれは息がつまっちまう》と、彼は思った。《やつらがやらせることは、何から何までたまらない。まるで死にそうだ！　教師どももといい、友人たちといい！　やつらの夢中になっていること、やつらの好きな書物ときたらいったいなんだ！　現代作家の面々なんて！　ああ、もし世の中に、このおれのなんたるかを――またこのおれが何をしようとしているかを知ってるものがいてくれたら！　だめだ、誰にもわかりっこない。ダニエルにしてもだめだ》たけり立っていた気持ちがおさまってきた。彼には、アントワーヌの答えも耳にはいらなかった。《いままで書かれたあらゆるものを忘れるんだ》と、彼は考えた。《ありきたりの道を離れるんだ！　自分自身をしっかりみつめ、そして、すべてを語るのだ！　いままでかつて、誰ひとりすべてを言うだけの勇気を持たなかったところが、ついに何者かがあらわれた。すなわち、おれだ！》

暑いので、スフロ町を上って行くのはひとほねだった。ふたりは歩度をゆるめた。アントワーヌは、あいかわらず話しつづけ、そして、ジャックは黙りつづけていた。ジャックはそれに気がついた。そして心の中で微笑した。《そうだ、おれはいままで、一度も兄さんと議論できなかった。あるときは、ぶつかっていって、かっとあがってしまう。あるときは、整然とした兄さんの議論のまえに、黙々として口をとじる。ちょうどいまのようにだ。もっとも、それには一種の下心があってのことだ。おれには、兄さんがおれの沈黙をもって賛成と思いちがいをしていることがわかっているんだ。ところが、事実はそれとちがっている。まったく逆だ！　おれは、自分の考えをしっかりまもっている。ほかの人たちにそのことがはっきりわかっていようがいまいが、そんなことはどうでもいい。おれは、おれの考えの価値を信じている。要はただ、そうした価値をしめせばいいんだ。いずれの口にかおれがその挙に出るであろうとき！　議論なんかは、どこにだってころがってる。兄さんは、すたこら歩いているだけなんだ。おれの考えに、何かしっかりしたものがあるのかないのか、考えてさえもいないんだ。それにしても、やっぱりひとりぼっちの気持ちだなあ！》するとふたたび、出発という気持ちがはげしくわいてきた。《一挙にすべてをなげうつ。すばらしいだろうなあ。〈出でゆく室々《へやべや》よ！　出発することのすばらしさよ！〉（アンドレ・ジード『地上の糧』のうちにある言葉）》彼はふたたび微笑した。そして、いじの悪そうな目つきをアントワーヌのほうへ向けながら、朗唱をはじめた。

「《もろもろの家庭よ、われは御身らを憎む！　とざされし家庭、とざされし戸口よ！……》」

「誰のものだね？」

「《ナタナエルよ、ただ行きずりにのみあらゆるものをながめよ、御身みずからはいずこにも留まることなかれ……》（アンドレ・ジード『地上の糧』）」

「誰が書いたんだ？」

「ああ」と、ジャックは、微笑するのをやめると、とつぜん足を早めながら言った。「これは、すべてのもとをしめす書物の中に書いてあるんだ！　その本の中に、ダニエルはあらゆる口実を……——いや、もっとひどいや——彼の……彼のシニスムの、礼賛を見いだしたんだ！　いま、彼はその本を暗記してしまっている。だがぼくは……そうだ！」と、彼は声をふるわせながら言った。「そうだ、ぼくは、その本がきらいだとはいえない。だが兄さん、それは、読む人の手をやけどさせずにはいないような書物なんだ。そしてぼくは、いままでかつて、この書物とさし向かいになろうとしたことがなかった。それほどまでに、ぼくにとってその本がおそろしいんだ！」彼は、自分でそれを意識しないでいい気になりながら《出でゆく室々《へやべや》よ！　出発することのすばらしさよ！》と、くり返した。と思うと、彼は口をつぐんだ。そして、たちまちちょうしを変えて、しゃがれた早口でこう言った。

「ぼくは、それを出発するという！　だが、それももうおそい。ぼくにはもう、ほんとに出発することなんかできやしないんだ」

アントワーヌは、切りかえして言った。

「まるで《亡命》でもするようなちょうしで出発すると言ってるじゃないか。もちろん《亡命》となると、それはちょっと簡単にはいかない。だが、旅行だったらたいしてむずかしくはなかろうじゃないか？　試験に合格しさえしたら、夏少し旅行をして来たいと言ったってお父さんはとうぜんのことと思うだろう」

ジャックは、首を振ってみせた。

「おそすぎらあ」

いったいどういう意味で言ったのか？

「といってきみは、この二カ月の休みを、メーゾン・ラフィットへ行って、おやじと《おばさん》のあいだですごすつもりではないんだろう？」

「いや」

彼は、なにかあいまいな身ぶりをした。おりからふたりは、パンテオンの広場を通って、ユルム町にかかっていた。ジャックは、手を上げると、高等師範学校《エコル・ノルマル》の前にたむろしている人だかりをしめした。彼は、顔を曇らした。《変わってやがる》と、アントワーヌは思った。彼はたびたび、寛大な気持ちと、同時に、はっきり意識した優越感で、そう思っていた。とっぴょうしもないことをおそれ、ジャックから、絶えずはぐらかされることをおそれながらも、彼はいつも弟を理解しようとつとめていた。弟の口からもれるばらばらな言葉を中心にして、アントワーヌの活発な頭脳のはたらきは、不断の知的体操をつづけていた。もっとも、それは彼にとってひとつの楽しみとも言えるのだった。そうした彼は、そうすることによって、弟の性質を突きとめることができると思っていた。だが、じつをいうと、アントワーヌが、何かひとつの心理的考察の頂点に達したかと思うと、ジャックはたちまちまた何か新しいことを言いだして、せっかくきずきあげた彼の考えの足場をひっくりかえしてしまうのだった。彼は、ふたたび新規にやりなおさなければならなかった。しかも、多くの場合、まえのとまったく反対の結論に向かって。こうしたわけで、アントワーヌの場合、弟との会話は、すべて臨機応変な、あとからあとからと引きつづき、しかもたがいに矛盾しあった判断から成っていた。そして、彼には、その最後のものだけが決定的なもののように思われていた。

ふたりは、学校のいかつい正面へやって来た。アントワーヌは、ジャックのほうをふり向くと、じろりと鋭くながめやった。《底の底までおしつめると》と、彼は思った。《こいつにしたって、自分自

身でも気がつかないほど、家庭生活をよろこんでるんだ》

門はあけはなたれていた。そして校庭はいっぱいの人だった。

玄関の入口のところで、ダニエルはブロンドの髪をした青年と話していた。

《もし最初ダニエルのほうでこっちを見たら、おれはたしかに合格だぞ》と、ジャックは思った。

だが、ダニエルとバタンクールとは、アントワーヌから声をかけられて、ふたり同時にふり向いた。

「あがっちゃいないかね?」と、ダニエルがたずねた。

「あがるどころか」

《もし、やつめ、ジェンニーの名を口に出したら、おれはたしかに合格だぞ》と、ジャックは思った。

「発表まえの十五分くらいいやなものはないな」と、アントワーヌが言った。

「そうかしら?」と、ダニエルは、微笑を浮かべながら反対した。彼は、やんちゃな気持ちから、しばしばアントワーヌに反対した。アントワーヌのことを、彼は《先生》と呼んでいた。そして、彼には、兄のいやに大人っぽい、もっともらしさがおかしくてたまらなかった。「ぼくは、待つっていうことのなかには、いつもいささかの快感があると思ってるんだけれど」

アントワーヌは、肩をすくめてみせた。

「そう思うかね？」と、彼は弟にたずねた。そして言葉をつづけた。「ぼくなんか、こうした待つという気持ちを、十四、五回も経験してきた。だが、どうしても慣れることができなかった。それに、気がついたんだが、こうしたときに、いやに超然たる顔つきをしているやつにかぎって、ほとんどふだんはあまりパッとしないやつ、できないやつにきまってるんだ」

「だからって、誰にでもじれったさが楽しめるとはいえませんよ」と、ダニエルが言った。《先生》のほうを見るとき、妙にいじわるになる彼の目は、ジャックを見ると、たちまちやさしいものにかわるのだった。

アントワーヌは、自分の考えを追いつづけた。「これはまじめな話なんだが」と、彼は言った。「できるやつにとっては、不確定の状態がたまらないんだ。真の勇気は、平然として事の起こるのを待つことには存していない。むしろ、一刻も早くそれを知ろうとしてはせ向かい、そしてそれを甘受することにある。そうじゃないか、ジャック？」

「ぼくはむしろダニエルのように思うんだが」と、ジャックが答えた。そういう彼は、なにひとつ聞いてはいなかったのだった。そして、ダニエルがアントワーヌと話しつづけているのを見ると、自分でもかまをかけているのを意識しながら、それとはなしにこう言った。「きみ、お母さんも妹さんも、ずっとメーゾン・ラフィットに行ってるのかい？」

ダニエルには、それが聞こえなかった。ジャックは、《おれは落第だ》と思いこもうとしながら、しかも自分がいかに成功を確信しているかを発見した。《おやじがきっと喜ぶだろうな》彼は、早くも微笑を浮かべた。そして、その微笑を、バタンクールのほうへふり向けた。

「来てくれてありがとう、シモン」

相手は、このダニエルの友人にたいする熱烈な賛嘆の気持ちをつつみきれずに、親しみのこもったようすで彼をながめていた。そして、ジャックのほうでは、それをいつもじりじりした気持ちで受けとっていた。というのは、彼は、それにたいして、同じ種類の友情で答えることができなかったからのことだった。

ちょうどそのとき、校庭のがやがやいう騒ぎがぴたりとやんだ。階下のひとつの窓ガラスの向こうに、一枚の白い四角な紙が浮かんだからだった。ジャックは、うねっている人波が、彼を石畳からひっさらい、その運命の紙のほうへ運んでいくのをおぼろげながら意識した。

耳はがんがん鳴っていた。アントワーヌは何やら話していた。

「合格！　第三位」

その声は、一瞬彼の耳にひびきわたった。それは、あたたかな、いきいきした声だったが、彼は、おそるおそる頭をふり向け、輝きわたった兄の顔を見て、はじめてその意味を理解できた。彼は、だらけたような手つきで帽子をずらした。ひたいには汗が流れていた。すでに、ダニエルとバタンクールとは、人波のまわりをまわって、こっちへやって来るところだった。ダニエルは、じっと彼のほうをみつめていた。ジャックのほうでも、じっと目をすえて、ダニエルの来るのをながめていた。ダニエルは、上唇をぐっと上げ、歯をすっかりあらわしていた。だが彼の顔には、少しも微笑しようといった気持ちが見られなかった。

何やらつぶやきの声が起こって、それが校庭いっぱいにひろがった。あたりはまたもや活気づいた。

ジャックは、ふかぶかと息を吸いこんだ。血は、ふたたび彼の五体をめぐりはじめた。とたちまち、彼は自分が、わなにかかった、落とし穴にかかったといったような幻覚を感じた。そして、《やられたな》と思った。同時に、いろいろな考えがわきあがった。彼は、ちょっと、ギリシャ語の口頭試問のときのこと、失敗をやってのけた瞬間のことを思いだした。彼は、緑色の敷物のことや、つのとでもいったようにずんぐりしたつめで、つよく『コエフォール』（古代ギリシャにあって、死者に供物をささげるもの。有名なアイスキュロスの悲劇の題名）をおしつぶしていた教師の指のことなどを思いだした。

「一番は誰だ？」

彼には、バタンクールの言ってくれた名まえなぞ耳にはいらなかった。《隠れ家、聖殿……家を守るもの……ああした言葉がわかっていたら、おれは一番になるところだった……》そして、幾度となく、どうしてああいうけしからん意味の取りちがえをやってのけたのだろうと、くり返し執拗に思考の脈絡を組みたてなおしてみた。

「さあ、先生、うれしそうな顔をなさいよ」と、ダニエルはアントワーヌの肩をたたきながら言った。アントワーヌは、やっとのことで笑いだした。彼にあっては、喜びはほとんどいつも何かしらぎごちない気持ちを伴っていた。というのは、そのもっともらしい態度のおかげで、彼はあけすけに喜びをみせることができないのだった。それに反して、ダニエルは、喜びに身をまかせていた。彼は、ほとんど肉感的とさえ言えそうな喜びを見せて、友人たち、近くの人たち、とりわけやって来ている婦人たち、母とか姉妹とかをじろじろながめていた。そうした婦人の情愛は、こうした場合、はたになんの遠慮もなく、ちょっとした言葉づかい、ちょっとしたようすにまであからさまにしめされていた。

アントワーヌは、時計を出してみたあとで、ジャックのほうをふり向いた。

「どうだい？　まだここにいなければならない用があるかね？」

ジャックはハッとした。

「ぼく？　ううん」彼は、たまらなそうなようすで答えた。彼は、自分でもそれと気がつかずに――それはたしかにあの成績発表の瞬間だったにちがいない――一週間このかた顔をひんまがらせていた唇のはれものから、ふたたび血を出させてしまっていたのだった。

「そんなら行こうじゃないか」と、アントワーヌが言った。「昼食まえに、往診に行かなければならないところがあるんだ」

校庭を出ようとしたとき、掲示を見ようと駆けつけて来たファヴリの姿が見えた。彼は、どうだといったようすでこう言った。

「そうら、ね！　フランス語の作文がすばらしかったって言ったろう？」

高等師範を去年卒業した彼は、都落ちをしたくないと思って、サン・ルイ校の臨時教員をしていた。そして昼間、暇の時間に復習を引きうけ、それによって夜のパリ生活をすることにしていた彼は、教員生活を軽蔑し、新聞記者を夢みていた。そして、ひそかに、政治方面に心を向けていた。

ジャックは、ファヴリが、ギリシャ語の試験官とかなり親しいことを思いだした。彼は、またもや、緑色の敷物、指のことなどを思いだして、恥ずかしさに赤くなるのを感じた。彼にはまだ、自分が合格したものとは考えられなかった。ホッとした気持ちは少しもなく、ぐったりした気持ちだけしか感じられなかった。しかも、そのあいだあいだに、意味を取りちがえたこと、あるいはけいれいもののことを思いだすと、たちまち激しい怒りがわきあがってきた。

ダニエルとバタンクールとは、陽気なようすで彼の腕をつかんでいた。そして踊るような足どりで、彼をパンテオンのほうへ引っぱって行った。アントワーヌとファヴリとは、そのあとについて歩いて行った。

「ぼくの目ざましは六時半に鳴るんだ、コップの上に水平にのせた下皿の中で」と、ファヴリは、愉快そうに笑いながら、大きな声で、説明した。「するとぼくは、ぶつぶつ言いながら、片目をあけて、火をつける。それから針を七時に合わせ、その爆弾を今度は胸にかかえてまた寝込む。やがて、家はもとより、町じゅうをゆりうごかすような大地震。ぼくはむっとする。だが、まだいいなりしだいになろうとはしない。五分まつ。それから、十分。つづいて十五分。そして、十五分が二分すぎると、二十分ということにする。なにしろ、数はきちんとしていないといけないから。やがて、やっとのことでベッドを出る。三つ並べた椅子の上には、なにからなにまでそろっている。まるで、消防夫のしたくみたいだ。七時二十八分、町に飛びだす。もちろん、いまだかつて、朝食を食い、顔を洗うひまのあったためしはない。地下鉄へ行くまでが四分。八時ぎりぎりに教壇に駆けつけ、さてお談義をはじめる。それが何時にすむと思う？　風呂にもはいりに行かなければならない。着物をきかえ、晩飯を食い、友人たちとも会わなければならない。これではいったいいつ勉強するひまがあるんだ？」

　アントワーヌは、うわの空で聞いていた。彼は、その目でタクシーをさがしていた。

「ジャック」と、彼は言った。「晩飯はぼくとたべるかね？」

「ジャックはぼくたちと食うんですよ」と、ダニエルが反対した。

「ちがう、ちがう」と、ジャックがさけんだ。「今夜は兄きとたべるんだ」彼は、じりじりしながら考えた。《もういいかげんに、そっとしといてくれないかな？　それに、はれものにヨードをつけなくてはならないし》

「みんなでいっしょに食うことにしようや」と、ファヴリが提案した。

「どこで？」

「どこでもいい。パクメルんとこはどうだ？」

　ジャックは反対した。

「いやだ。今度はいやだ。疲れてるから」

「文句を言ってやがる」と、ダニエルは、腕をジャックの腕にすべり込ませながらつぶやいた。

「先生、パクメルんところにいますから、あとからやっていらっしゃい」

アントワーヌは、ちょうどタクシーを呼びとめていた。彼はくるりとふり向いた。そして、一瞬ためらっているようだった。

「パクメルって？」

「あなたの考えてるようなところじゃありませんよ」と、口から出まかせにファヴリが言った。

アントワーヌは、目つきでダニエルにたずねてみた。「パクメル？」と、ダニエルは言った。「ねえ、バタンクール、なんて言ったらいいかしら？　ありふれたナイト・クラブふうなところは少しもない、まるで家族的なホームとでもいったようなところ。そう、五時から八時までは、酒場なんです。だが、八時になると、ふりのお客はみんな帰ってしまう。そして、常連だけが残る。テーブルを寄せる。パクメルおばさんをかこんで、もっともらしい、大きなテーブル・クロースの上で晩飯をくう。いい音楽、美しい女たち、もう、なんの文句もないんです。どう？　来てくださる？　では、パクメルんところで？」

アントワーヌは、夜はめったに外出しなかった。日中きわめて忙しかった彼は、病院のための試験準備をしようと思えば、どうしても夜でなければならなかった。だが、その日の彼は、なんだか血液学に興味がなかった。それにあしたは日曜だ。勉強は月曜にしよう。こうして、彼はときおり、土曜日の晩を、あらかじめねらいをつけておいた楽しみごとのためにつかうことにしていた。彼は、パクメルに心をさそわれていた。美しい女たち……

「ぜひということだったらね」と、彼はできるだけ淡泊なちょうしで言った。「だが、それはいったいどこなんだね？」

「モンシニー町。八時半まで待っています」

「それよりずっと早く行けるだろう」車のドアをぱたりとしめながら、アントワーヌがさけんだ。

ジャックは、べつにいやとも言わなかった。兄が承諾したので、彼の気持ちも変わっていた。それにいっぽう、彼は、ダニエルの思いつきにしたがうことに、いつもかくれた楽しみを感じていた。

「歩いて行くかね？」と、バタンクールがたずねた。

「ぼくは地下鉄にのるぜ」と、ファヴリはあごをさすりながら言った。「ちょっと着物をきかえて来る。すぐあとから行く」

夕立をふくんだむしむしした空気が、七月末のパリの町のうえに重くのしかかっていた。夕方になると、空気はどんよりと、ねずみ色になって、靄だか、ほこりだか、見わけがつかなくなっていた。

パクメルのところまでは、三十分ほど歩かなければならなかった。

バタンクールはジャックのそばへよっていった。

「いよいよ前途洋々だな」と、彼は、なんらの皮肉もまじえずに言った。

ジャックは、助からないといったような身ぶりをした。そして、ダニエルのほうでは微笑してみせた。

彼は、自分より五つ年上だったにかかわらず、ダニエルは、バタンクールを子供のように思っていた。彼は、ジャックをいらいらさせるところのもの、すなわちバタンクールの底のしれない人のよさのゆえに、彼をがまんすることができていた。ダニエルは、かつてみんなが、バタンクールになにか暗唱

させておもしろがったときのことを思いだした。バタンクールは切込み暖炉のまえに進みでると、

ひら髪よ！　コルシカびとよ！　とりいれ月
　の日のもとに、
　　フランスは栄えありしかな！

とはじめたものだった。そして、冒頭の第三句を聞いてみんなが早くも笑いだしても、自分ではべつに変だとも思わずにいた（これはナポレオンのことを歌った詩人オギュスト・バルビエの詩『雌馬』の起句。ほんとうは《ひら髪の、コルシカびとよ》とあるところを《ひら髪よ！　コルシカびとよ！》とやったので皆が笑いだしたもの。なおこの他にも至るところででたらめを言っている）。

そのころ、ちょうど父が連隊長をしていた北のほうの都会から出て来たばかりのバタンクールは、ボタンをかけた黒のモーニングを着ていた。それは、パリに来て神学の講義を聞くのに、礼儀正しくあるためと思って作らせたものだった。この未来の牧師どのは、当時しげしげとフォンタナン夫人の家にやって来た。そして、夫人のほうでも、つとめてこさせるようにしむけていた。というのは、バタンクールの母親は、夫人と幼友だちだったから。

《パリのカルティエ・ラタンというところは、じつにけしからんところですな》そのころこんなことを言っていたかつての神学生先生は、いまやエトワル町（パリ目抜の中心）に住み、はでな服を着こみ、そして、とほうもない結婚をしようとして両親とけんかをして以来、リュドウィクスン書店につとめて、

きわめて当世ふうな版画類のよりわけの仕事をして、月四百フランの手当をもらって暮らしていた。この勤め口も、ダニエルが見つけてくれたものだった。

ジャックは、顔をあげて、あたりを見わたした。と、彼の目は、かごを前にしてうずくまっているばら売りの老婆の上にそそがれた。彼は、さっき、兄と通ったとき、この老婆を見たにちがいなかった。だが、そのときには、不安に目がくらみ、いかなる呼びかけにも気のつくどころのさわぎではなかった。彼は、スフロ町を上って行ったときのことを思いだし、とつぜん、なにか物たりない気持ち、いつも見慣れているもの、たとえばしじゅう指にはめていた指輪をなくしでもしたときのような気持ちを感じた。何週間もまえから彼の心についてはなれなかった心配、しかも、一時間にもならぬまえまで、ひと足ごとに彼の心をしめつけていた不安が、いま、何かしらたまらない空虚をのこして消えてしまっていた。成績発表があって以来、彼ははじめて、自分の合格ということを考えてみた。だが、その結果、彼は、高いところから落ちでもしたように、放心したような、打ちひしがれたような気持ちになっていた。

「せめて海にははいれたかね？」と、バタンクールがダニエルにたずねた。

ジャックは、くるりとふり返った。

「そうそう」と、彼は言った。そして、彼は、やさしい目つきをした。「ぼくのために、わざわざ帰ってきてくれたんだっけ！　向こうはおもしろかったかい？」

「想像していた以上だった！」と、ダニエルが答えた。

ジャックは、にがにがしげな微笑をもらした。
「相変わらずだな」
ふたりはちらりと目を見かわした。そこには、きょうまでのたびたびの論争があとをひいていた。

ジャックは、ダニエルにたいして、一種粛然とした友情をいだいていた。それは、ダニエルのしめした、気持ちのいい友情といったようなものとはまったくちがっていた。「きみは、きみ自身のことを棚にあげて、ぼくにたいしてとても気むずかしい」と、ときどきダニエルが言った。「きみは、ぼくの生活をけっして認めてくれなかった」――「そうなんだ」と、それにたいしてジャックはいつも答えていた。「きみの生活は認めるさ。だが、なんとしても認められないのは、人生にたいするきみの態度だ」

これこそは、ずっとまえから、ふたりのあいだの論争の題目だった。

ダニエルは、バシュリエ（大学入学資格者）になるやいなや、ありきたりの道はぜったいふまないことにしようと決心した。父は、いつも家を外にしていて、ぜんぜん彼のめんどうをみなかった。母は、自由に彼の道を選ばせてくれていた。彼女は、事ひとたび子供たちのこととか、一般的にいって将来のこととかに関しては、なにかしら神秘的な確信で、あらゆるしっかりした意思を尊重することを知っていた。彼女は、なによりもまず、息子が自由であること、彼が、家庭の状態を挽回するために金をかせがなければならないというようなことを考えたりしないようにと思っていた。だが、ダニエルのほうは、そのことを考えていた。二年間というもの、彼は、内心ひそかに、母をたすけてやれないことを思って苦しんでいた。そして、こうした義務の気持ちと、一方には、さらにはげしくせまってくる生活上の必要とをうまく調和できるような機会をねらっていた。こうした細かな心づかいの複雑さは、ジャックにさえもわからなかった。それというのも――ダニエルが絵を勉強するにあたってのほとんど自堕落とさえいえそうなやりかた、誰を師とするでもなく、自分の本能、というよりむしろ気まぐれだけをたよりにして、ちょっと絵の具をなすってみたり、さかんにデッサンをやってみたり、ときによると朝から晩までモデルといっしょにとじこもってスケッチ帖の半分をいっぱいにするかと思うと、つづく何週間というもの、絵筆に手さえ触れないでいるというようなやりかた――それからは、とうてい彼が自分自身にたいし、また将来にたいしていだいていた高邁な考えなど、ほとんど推測できなかったからだった。彼は、あらゆるうぬぼれをふり捨ててのしんとした矜持《きんじ》を持っていた。彼としては、宿命的な法則の進展につれて、自分のなかにあるきわめてすぐれたものが、いつかはその表現方法を見いだすであろう日のくるのを待っていた。そして、自分の運命が、最大級の芸術家たるにありと確信して疑わなかった。しからばいつ、いかなる道によってその峰をきわめるべきか？　彼は知らなかった。そして、さもそんなことを考えていないかのようにふるまって、声を高くして、まず生活にとびこまなければならないのだと言っていた。そして、まさにそれにとびこんでいたのだった。もっとも、それにはいつも悔恨がともなわないわけではなかった。とは言え、母の教訓を思いだすようなことがあったとしても、それはほんのつかのまのことであり、それは彼をして、下り坂でしっかり踏みとどまらせるところまではいかなかった。《この二年間、このうえなく思いなやんだときでも》

と、彼はいつぞやジャックへ出した手紙の中に書いていた（そのとき彼はちょうど十八歳だった）。《ぼくは誓って言う、ぼくは、真に自分自身を恥ずべきものとは一度だって考えたことがなかった。それどころか、自分の傾向をわれとわが心にとがめ立てしていたような懐疑的の時期にあっても、じつのところ、自分自身にたいしてそうたいして憤慨したりしないで、むしろ、ふたたび生活が凱歌をあげ、そうした子供らしい自己否認や自己拘束のことを思いだしたときのほうがずっと腹が立ってたまらなかった》

こうした手紙を書いてからほんのちょっとしてからのこと、彼は、あとでふたりが〈汽車の男〉と呼ぶことにしていたひとりの男と郊外列車で乗り合わせることになったのだった。もちろん男のほうでは、こうしたちょっとしためぐりあいが、ふたりの青年の青春期に、どれほどの影響をあたえることになるであろうか知るよしもなかった。

ダニエルは、ヴェルサイユから帰ってくるところだった。彼は、十月の晴れた午後を、その公園の茂みのかげに過ごしに行った。彼は、発車まぎわになって汽車に飛びのった。すると、彼の前に座を占めていた相当の年配のひとりの男は、偶然彼にとってまんざら知らない人ではなかった。というのは、その日、大トリアノン宮の森の中で、すでに一度その男に行き会っていたからだった。彼は、その男を見るなり、じろじろ観察をはじめた。そして、こうして、あらためて、その男をゆっくり観察できるのを愉快に思った。そばでみると、男は年よりもずっと若く見えた。髪は白かったが、たかだか五十になったくらいのところだった。まっ白な短いひげは、楕円形の顔の下のあたりをたんねんにぐっと引きしめ、そして、その顔だちのいかにも端正なことは、さらにその優しさをひき立たせていた。顔色といい、態度といい、その手、その着物の裁ち方とはでな柄、ネクタイの渋い好み、とくに、あらゆるものの上にそそいでいるその青い、熱情的な、いきいきした眼差しは、まったく若い男のそれを思わせていた。慣れた手つきでひるがえしている一冊の本の装丁は、まるで案内書のそれのようにしなやかで、そこには書名が記されていなかった。シュレーヌとサン・クルーのあいだで、男は立ちあがって廊下に出た。そして、すべてのものが夕日を浴びて金色に燃えあがっているパリの全景をながめようとしてこごみこんだ。やがて男は、ダニエルがそのそばに腰かけていたガラス戸のところに来て背をもたせた。そして、ダニエルには、ちょうど顔の高さのところ、ガラス一枚の厚さにへだてられて、不思議な書物を持っている男の手が見えた。ほっそりした手、なげやりなようで、同時に神経質な手。そして、なにかしら精神的な気持ちをおこさせるといったような手だった。その手が、ちょっと動いたひょうしに、本が少しひらいた。そして、窓ガラスにぐっとおしつけられたページの上に、ダニエルはつぎのような言葉を読むことができた。

《ナタナエルよ、わたしはきみに熱情を教えよう……》
《はげしく脈打ち、放恣をきわめたひとつの生活……》
《平静よりも、ナタナエルよ、むしろ悲壮なる生活を……》

書物はいざった。だが、ダニエルには、ページの上のほうにあった表題を読みとるだけのひまがあった。『地上の糧』(ジードの作品)。

好奇心にかられるままに、彼は、その日すぐ、何軒かの本屋へ行ってみた。だが、どこの本屋もその本を知っていなかった。汽車の男は、その秘密をいつまでもあかしてくれないつもりなのだろうか? 《平静よりも》と、ダニエルは心の中にくり返した。《むしろ悲壮なる生活を……》翌朝、彼はオデオン座の外まわりにある本屋へ駆けつけ、いろいろカタログを調べてみた。そして、何時間かの後、彼はその本を手に入れ、わが家にかえると閉じこもった。

彼は、ひと息にそれを読んでしまった。そのため、彼はその日の午後をすっかりつぶしてしまった。夕方になって、彼は外へ出た。いままでかつて、これほどの情熱、これほどの輝かしい感激を味わったためしはなかった。彼は、大またに、まるで征服者のように歩いて行った。夜になった。彼は、河《か》岸《し》について歩いて行った。もう家からもずいぶん遠いところまで来ていた。彼は、晩飯がわりにクロワサンをひとつたべた。それからわが家へ帰って行った。机の上には、本が待っていた。ダニエルは、それをひらく気にならず、まわりをぐるぐるまわっていた。ベッドについたが、どうしても眠れなかった。さじを投げた彼は、マントを羽織り、ふたたび最初の一ページから、ゆっくり読みはじめた。彼には、いまこそ厳粛なときであり、ひとつの仕事、ひとつのふしぎな発芽が、自分の心のもっとも深いところで行なわれていることが感じられた。明け方、最後のページを読みおわったとき、彼は、自分が、いままでとちがった目で人生をながめていることに気がついた。

《わたしは大胆に、あらゆるものへ向かって手を差しのべた。そして、自分は、自分の欲望の対象たるおのおののものをつかむ権利があると確信した……》

《欲望には利益がある。そして、欲望の満足にも利益がある——すなわち、欲望は満されることによってさらにはげしくなるからだ。》

かつて教育によってあたえられた、すべてのものを道徳的に評価するという習慣、彼は、一瞬にしてそれをふるい落とすことができたのを知った。いまや《あやまち》という言葉は、その意味を変えてしまっていた。

《行為の善悪などは考えずに行動すべきである。それがはたして善か悪かを考えずに愛することと……》

これまで彼が、自分の意思に反していだきつづけていた感情、それはたちまち解きはなたれ、いまや欣然として第一位を占めることになったのだった。その晩、彼は、幼少時代から確固不抜と信じていた価値の尺度を、わずか数時間でくつがえされてしまっていた。翌日は、まるで洗礼をうけた翌日とでもいったような気持ちだった。今日まで疑うべからざるものと考えていたあらゆるものを捨ててしまうにつれて、これまで彼の心を八つ裂きにしていたさまざまの力のあいだには、なにかしらふしぎなやすらぎといったようなものが生まれていた。

ダニエルは、この発見のことを誰にも話さなかった。ただジャックにだけ、しかもずっとあとになってから話したのだった。これは、ふたりにとって、友情の秘密のひとつだった。ふたりは、まるでなかば宗教的な神秘とでもいったようにそのことを考えていた。そして、それを語るにあたっては、いつも衣を着せた言葉をもってしていた。だが、ダニエルの努力にもかかわらず、ジャックは、いこじになって、そうした情熱に感染しないようにつとめていた。彼にとっては、自分自身の飢渇を、こうしたあまりにも強すぎる泉でいやさないでいることが、さも自分自身に抵抗してでもいるように、また自分がいままでよりも強くなり、自分自身をそっくりそのまま守りつづけてでもいるように考えられたからだった。それでいて、彼には、ダニエルが、そこにひとつの健康法を、みずからの《糧》を見いだしていることが感じられていた。そして、そうしたジャックの片いじのなかには、羨望と自棄の気持ちとがこもっていた。

「じゃ、きみはリュドウィクスンを、自然界のつくり出した驚異のひとつとでも思ってるのかね?」

と、バタンクールが言った。

「リュドウィクスンていう男はね……」と、ダニエルが説明をはじめた。

ジャックは肩をすくめてみせた。そして、ふたりを少し先に立って歩かせてやった。

このリュドウィクスンなる人物、ダニエルが最近幾日かまえからその男のところへ行きだしていたその人物、そして、その男が支店を出しているほうぼうの国の都で、ヨーロッパの美術商きってのずぶとい男と取りざたされていたその男は、すでにずっとまえからふたりの青年のあいだで議論の対象になっていた。ジャックは、直接間接のいかんを問わず、たといそれが生活のためであろうと、そうした商人の計画にダニエルが協力していることを断じてみとめなかった。だが、ジャックにしても、ほかの誰にしても、ダニエルを、その夢中になっているこころみから思いとどまらせることができなかった。リュドウィクスンの聡明さ、不眠を習慣とするほどの不断の活動力、奢侈《しゃし》にたいする侮蔑、そして巨万の富を擁しながら、ある程度金銭を蔑視し、ひたすら危険と成功とに陶酔しているその態度、まるで風にゆられてくすぶりながらも、あかあかとした光をはなっているたいまつそっくりの生活ぶりを見せているこの仕事師のたくましさは、はげしくダニエルの興味をひきつけていた。そして、彼が、このしたたかもののためにひと肌ぬいでやろうと思ったのも、それはいやおうなしというより、むしろみずからの好奇心に出たものというべきだった。

ジャックは、ダニエルとリュドウィクスンが、はじめて顔をつき合わせた日のことを思いだしていた。それこそは、対立しあったふたつの種族、ふたつの社会だった。その朝、彼は、ダニエルが、自分同様収入の少ない連中と共同で借りていたアトリエへやってきていたのだった。リュドウィクスンは、ドアをたたかずにはいってきた。そして、ダニエルにとがめられると、ただ微笑してこれに答えた。やがて、なんの前口上もなく、自分自身を紹介するでもなければ椅子に腰をおろすでもなく、まるで古典劇の役者が、召使い役にさいふを投げあたえるといったように、ポケットから紙入れを取りだし、《ここにおられるかたがたの中でフォンタナンと呼ばれるおかた》のため、今後三年間にわたって、毎月六百フランの金額をお払いしようと申しでたのだった。ただしそれには条件がある。すなわち、リュドウィクスン画廊主であり、また画商リュドウィクスン・アンド・コンパニーの社長であるリュドウィクスンは、その期間中ダニエルが描くであろうあらゆる作品にたいしてぜったい的な所有権を持つであろうこと、かつ後者はそれらの作品にたいし、月日ならびに署名をすることを約束する、というのだった。作品といってもたいしてなく、ちょっとしたスケッチにしても、展観したり売ったりした経験のなかったダニエルには、自分の才能のどこを見込んでリュドウィクスンがこんな夢のような条件を持ちだしたのか、どうも納得いかなかった。それに彼は、自分の作品の独立性を確保しておかなければとも思っていた。彼は、たといそうした契約の文言を承諾するにしても、金を受けとるからには、毎月、約束の金額に相当するだけの絵をひき渡さなければならないことを知っていた。ところで、彼は、制作は、なんらの拘束もうけず、喜びのうちになされなければならないという信条を持っていた。そこで彼は、冷ややかな礼儀正しさをもって、リュドウィクスンに帰ってくれるように頼んだ。そして、あっけにとられている友人たちの見ている前で、客のほうでもそれと気のつくひまもなく、アッというまに彼を階段口まで押しだしてしまった。

だが、事はそれだけでは終わらなかった。リュドウィクスンは、ふたたび姿をあらわし、さらに慎重な態度をしめした。そして数カ月の後には、おもしろずくのダニエルと画商とのあいだに、まごうかたなき仕事の関係が結ばれていた。リュドウィクスンは、三カ国で、造形美術に関する豪華な雑誌を出していた。彼はダニエルに、仏文記事の選択を切りまわしてもらうことを依頼した。(青年の気性が、初対面の日から気に入ったのだった。そして、しっかりした趣味眼を持っていることをも見のがさなかった。)それは、べつに不愉快な仕事ではなかった。ダニエルは、そのために余暇の時間をあてることにした。そのうち、彼は、雑誌の仏文欄を事実上主宰することになった。自分の道楽のためには金に糸目をつけなかったリュドウィクスンは、仕事をたのむ人間の数はなるべく少なく、そのかわり人物の選択に念を入れ、その人々をして自由に腕をふるわせ、そして、仕事にたいしては十分に報いることをもって主義としていた。ダニエルは、自分から申しでたわけでもないのに、やがてほかのふたり、英文、独文の編集者たちとおなじだけの手当をもらうことになった。なんといっても、生きていかなければならなかった。そして、ダニエルは、仕事をするなら芸術家としての自分の生活とはっきりちがったもののほうがいいと思った。それに、リュドウィクスンの手によって個展をひらいてもらった彼の作品の何枚かは、すでに収集家たちの珍重するところとなっていた。画商との関係から生まれたこうした利益は、彼にとって、単に母や妹の暮らし向きを楽にするために役立ったばかりでなく、彼自身としても、べつに窮屈な仕事にしばられることなく、またほんとうの仕事のために必要である余裕を冒されるおそれもなく、好きなように安易な生活をすることをゆるしてくれていたのだった。

ジャックは、サン・ジェルマンの大通りをわたるところで友人たちに追いついた。

「……言語に絶したおどろきだったよ」と、ダニエルが言っていた。「まさか、あそこで、お母さんなる未亡人リュドウィクスン夫人にひき合わされようとは思わなかったからな！」

「あのリュドウィクスンに母親がいようなんて、考えてさえいなかったな」ジャックは、話のなかにはいろうとして言った。

「ぼくだって」と、ダニエルがつづけた。「しかもその母親ときた日には！　想像してもみるがいいや……スケッチものだぜ。ぼくも何枚か描いてみた。ただし実物写生とはいかなかった。それだけがなんとしても心のこりだ。想像してみるがいいや、サーカスでひと役つとめるため、道化どもに息を入れてふくらまされたミイラとでもいったようなんだ！　少なくも百歳にはなってるエジプト生まれのユダヤ人のばあさん、脂肪と神経痛でからだがよじれ、油でいためたたまねぎのにおいをさせ、手にはミテーヌ（親指だけ独立して、他の四本の指はいっしょにはいるようになっている婦人用のだてな手袋）をはめ、召使いに向かって荒い言葉をつかい、息子のことをバンビノ（《坊ちゃん》《小僧》）と呼び、赤ぶどう酒にひたしたパンで命をつないでいるというやつ、そして、会う人ごとにタバコをすすめずにはいないんだ……」

「タバコをすうのかい？」と、バタンクールがたずねた。「なあに、かぎタバコっていうやつさ。そして、リュドウィクスンが、どういうつもりか胸に掛けてやった大粒のダイヤの首飾りを、いつも黒い粉だらけにしてるんだ……」彼は、われとわが胸に浮かんだ考えのおもしろさに、しばらくためらっていた。そして「……その首飾りときた日には、まるでがらくたの上にケンケ・ランプをともしたようなかっこうなんだ！」と、つけ加えた。

ジャックは微笑した。彼は、ダニエルの潑剌たる着想にたいして、いつも大きな寛容をしめしていた。

「家庭内のそんなたまらない秘密までさらけ出して、いったいきみになにをしてもらおうと思ったのかな？」

「うがったことを言うじゃないか。じつはやっこさん、新しい計画を考えてるからのことなんだ。あいつ、なかなかのきけ者だぜ」

「金があるからきけ者か。金がなければ、ただの……」

ダニエルは、きっぱりその言葉をさえぎった。

「何も言わずにいてもらおう。ぼくは彼が好きなんだ。それに、その計画というのも悪くない。『絵入名画家伝』という伝記叢書だ。彼は、思いきった安い定価で写真のいっぱいはいった画集を出そうと思ってるんだ……」

ジャックは、もう聞いていなかった。胸のあたりが苦しく、そしてなんだか悲しかった。なぜだろう？　疲れたからか、きょう一日の感動のためか？　今夜、あれほどひとりぼっちでいたいと思っていたのに、ひっぱり出されたためなのだろうか？　それとも、首筋のあたりをカラーがこすっているためだろうか？

バタンクールは、ふたりの友人のあいだに割りこんでいった。

彼は、ふたりに、自分の結婚の証人になってくれるよう、たのむ機会をさがしていた。何カ月もまえから、彼ははげしい熱心さで、そのことばかりを考えていたのだった。それが、淋巴《りんぱ》質《しつ》の彼のからだを、目に見えて衰えさせていっていた。彼は、ようやく目的を達しかけていた。両親の反対意見のための法的猶予期間もようやく終わったので、けさ、結婚の日取りを二週間後ときめたのだった……それを思うと、顔にサッと血が上った。赤くなったのを隠そうとして、彼は、顔を向こうへふり向けた。そして、帽子をぬいで、ひたいをふいた。

「じっとして」と、ダニエルが言った。「横から見ると、きみはまったく子やぎに似てるぞ!」事実バタンクールは、唇にすぐくっついている長い鼻、かぎなりの小鼻、くりくりした目を持っていた。さらに、その晩は汗をかいていたので、黄いろっぽいひと握りの髪の毛が、こめかみのところに、まるで小さな、とがったつのといったように折れ曲がっていた。

バタンクールは、なさけなさそうに、ふたたび帽子を頭にのせた。そして、カルーゼルの広場や、トラジャヌ凱旋門のかなた、赤いほこりの立っているテュイルリー公園のほうへ目を投げた。

《かわいそうな子やぎのやつ》と、ダニエルは考えた。《こいつにあんな情熱があろうなんて、いったい誰が思いついたろう? あらゆる信条をなげうち、あの女のため、家族のものたちともけんかしてしまった……自分より十四も年上の未亡人……すれっからしの未亡人……肉感的ではあるが、すれっからしの未亡人……》彼は、目に見えぬような微笑を浮かべた。彼は、バタンクールが、彼をどうしてもその美しい未亡人に紹介するといってきかなかった去年の秋のある日の午後のことを思いだしていた。そのことは、その次の週間に実現された。彼は、バタンクールにばかなことを思いとどまらせるため、それから後、少なくもできるだけのことをしたことをおぼえている。だが、彼の打ちあったものは、盲目的な情熱だった。そして、もともと、たといそれがどんなものであろうと、恋愛なるものを尊敬していた彼としては、なるべくその婦人に会うことのないよう、そして、この結婚問題の推移を遠くから見まもっているよりほかになかった。「めでたくパスしたっていうのに、いやに沈みこんでるじゃないか」とバタンクールが、ダニエルにからかわれてしょんぼりした気持ちを、ジャックでとり返しをつけようとして言った。

「わからないのか、彼はむしろ落第したいと思ってたんだぜ」と、ダニエルが言った。彼は、ジャックから、考えぶかそうな眼差しをそそがれて、ハッとした。そして、ジャックのそばに近づき、肩に手をかけ、微笑しながら、つぶやくように言った。「……《物さまざまであればこそ、そこに物さまざまの価値があるのだ》」

それはジャックに、ダニエルがいつも好んで引用する文章全部を思いださせた。

《もしきみにして、きみの幸福をそういうものと想像していなかったというだけの理由で、さもきみの幸福が消え去りでもしたように考えるとしたらきみは不幸だ。あしたの夢はひとつの喜びだが、あしたの喜びは、さらにちがったものなのだ。そして、さいわい、みずからのいだいていたような夢と似ているものはなにひとつない。なぜかといえば、物さまざまであればこそ、そこに物さまざまの価値があるのだ》(ジード『地上の糧』第二日)

ジャックは微笑した。

「タバコを一本くれないか」と、彼は言った。彼は、ダニエルを喜ばせるため、その無気力な気持ちをかきたてようとつとめていた。《あしたの夢はひとつの喜び……》彼には、まだはっきりしてはいなかったが、ひとつの喜びが、わが身のまわりに動いているように思われた。あした？　目をさますや、あけ放された窓から、木々のこずえの上高く太陽が見られる！　あしたこそはメーゾン・ラフィット、その小暗い庭のすがすがしさ！

二

オペラ座かいわいのしんとした町の中で、大通りにそってとまっている何台かの馬車だけが、看板も出さず、窓掛けを深くおろした一軒の酒場の正面へ人々の注意を引きつけていた。ひとりのボーイが、彼らの前に回転ドアを押してくれた。そして、ダニエルは、さも自分の家ででもあるかのように、ひと足あとへさがって、ジャックとバタンクールとを通してやった。

ダニエルがはいって行くと、彼は、つつましやかな歓声によって迎えられた。みんなは、彼のことを予言者と呼んでいた。そして、常連の中で、彼の本名を知っているものは、ほんのわずかにすぎなかった。それに、客もそうたくさんはいなかった。バーのうしろのちょっとくぼみになったところで、ピアノ、ヴァイオリン、ヴィオロンセロが、季節のワルツをかなでていた。そのおなじくぼみのところは、壁板とおなじように、白く塗った上に金色の細い線のはいった小さな階段が、螺旋形をなして、マダム・パクメルの部屋のある中二階へ通じていた。テーブルは、ねずみ色の絹ビロードを張った長椅子のほうへ寄せられていた。そして、幾組かの男女が、暮れかかる日の光、それが、透かしレースの窓掛けによってさらになごめられた光の中、真紅な敷物の上で、ボストン・ワルツを踊っていた。天井には、絶え間なく扇風機のプロペラがまわりつづけ、つりランプの飾りや、青い植物の広葉をゆすり、また踊り手たちの身のまわりに、モスリンのスカーフのひだを吹きあげていた。

　知らないところへ行くと、いつものっけからそこの空気に酔わされてしまうジャックは、ダニエルに導かれるままに、ひとつのテーブルのほうへ歩いて行った。そこからは、ならんでいるふたつの室が見わたされた。バタンクールは、奥の室に陣取っている若い女の一団につかまって、すでにダンスをはじめていた。

「きみときたら、いつもはじめは、なかなかうんと言わないんだから」と、ダニエルが言った。「さ、もうこうなった以上、うんと愉快にやってくれるだろう？　どうだい、この小さなバー、親しみがあって気持ちがいいだろう？」

「カクテルをたのんでもらおう」と、ぶっきら棒にジャックが言った。「ほら、牛乳と、グスベリと、レモンの皮を入れたやつだ」

給仕をするのは白い着物をきた若い少女《ガール》たち、それをみんなは《看護婦さん》というあだ名で呼んでいた。

「遠くのほうから、常連の幾人かを紹介しようか?」と、ダニエルが言葉をつづけた。彼は、いままでいた席を立って、ジャックのそばへ来て腰をおろした。「第一に、あの青い着物をきているあれ、ここのマダムだ。《パクメルおばさん》ていってるんだ。だが、ごらんのとおり、なかなか悪くない金髪なんだ。そうなのさ! 毎晩、ああした微笑をたたえながら、若い女たちのあいだを泳ぎまわっている。まるで、マネキンたちを練り歩かせる流行の洋裁師とでもいったようだ。それ、彼女にあいさつしている日やけのした男――さっきバタンクールと踊っていた青白い顔の女と話している――うん、もっとこっちの――ポールっていうブロンドの女、天使みたいな女、天使にはちがいないが、ちょっと品行のよろしくない……おや、彼女、驚くべき毒薬をあおってるぞ。グリーン・キュラソーにちがいない……で、立ったまま彼女と話しているあの男、あれは画家のニヴォルスキー。愉快な男だ。うそつきで、いかさま師。それでいて、そのかみの銃士もどきに騎士道なかなかはなやかなんだ。あいびきにおくれるたびに、じつは決闘があったからだと言う。そして、自分でもすぐそう思いこんでしまうんだ。誰からでも金を借りる、いつも無一文。だが、才能があるので、すべて絵で返している。しかも、それを簡単にやってのけるため、いったい何を考えついたと思う? 夏、田舎へ行く。そして五十メートルばかりの長い画布の上に、道を一本描く。ほんとの道だ。木もあれば、荷馬車もあり、自転車もあれば、落日もある。冬になると、債権者の風体なり、借りた金の高なりに応じて、それをいくつかに切って払っていくんだ。自分ではロシア人だと言っている。そして何千人かの《奴隷》を持ってると言っている。そこで、日露戦争のとき、みんなは当然、彼がモンマルトルにとどまって、カフェー愛国論をやっているのをからかったんだ。すると、彼はどうしたと思う？　姿を消してしまったんだ。まる一年というもの、彼は姿を見せなかった。そして、旅順が陥落してから、はじめてパリに帰って来た。戦争の写真を山のように持って。いつもそれでポケットをいっぱいにしていた。そして、いつもこう言っていた。《ほら、ここに砲列が見えるだろう？　岩のうしろに、鉄砲の銃身がちょっとのぞいてるな？　それがおれなんだ》ただし、彼は同時に、作品を入れたいくつかの箱を持って帰って来た。それからの二年間、彼はいつもシシリー風景で借金を払っていた。……や、自分のうわさをされてるのをかぎつけたぞ。喜んでやがる。もうすぐ、得意なようすをしてみせるから」

ジャックは、ひじをついたまま、なんとも答えなかった。彼は、こうしたときには、いつもばかのような顔をしていた。口を半分あけたまま、目にはひかりがなく、眼差しはとろりとして、動物的で、いかにもふきげんそうなようすだった。ダニエルの言葉をききながら、彼は、じっとニヴォルスキーと若いポールとの一組をながめていた。彼女は、手に口紅を持っていた。彼女は口をまるめ、それに口紅を当て、まるで穴でも掘るように、勢いよくそれをまわしていた。ふたりの仲には――それはたしかにそうだった――バーの友だちという以外なにもなかった。だが、女は彼の手にさわり、ひざにさわり、さらに彼のネクタイをなおしてやっていた。彼は、女のほうをのぞき込んで、なにか話しているようだった。すると、彼女は、男の顔に、小さな青白い手をぴったりつけて、陽気に彼を押しもどした……ジャックは、なんだかわくわくした。

彼女から遠くないところに、栗色の髪をした女が、たったひとりで長椅子の奥に身をすぼめ、さも寒いといったように黒じゅすのケープに身をくるみ、おそらくポールのほうでは気がつかないであろうが、じっとむさぼるように彼女のほうをながめていた。

これらすべての人々のうえに、ジャックは、ずっしりとした眼差しを移していった。観察しているとでもいうのだろうか？　それとも、何か考えを組みたてているとでもいうのだろうか？　彼は、しばらくながめていた人々にたいして、たちまちいろいろ複雑した感情をあたえていった。だからといって、自分の目に入ったものを分析してみようというつもりもなかった。そうした直感のかずかず、それを言葉にあらわすことなどとてもできなかったにちがいなかった。眼前の光景に気をとられていた彼には、自分自身を分析し、なにものであれ記録することなぞ、とてもできないことなのだった。彼にとっては、こうしてただ、――架空のものであれ、現実のものであれ――ほかの人々と交渉をもつということ、それがたまらなく楽しく思われていたのだった。

「そしてあの大きな女は？　バーテンと話している？」と、彼はたずねた。

「つやつやした紺青《こんじょう》の着物をきて、ひざのところへまで長い首飾りをたらした女か？」

「そうなんだ。なんてけんい高なようすなんだ！」

「マリ・ジョゼフさ。相当な美人だ。まるで皇后さまみたいな名まえだな。ところで、あの女の真珠の話というのが傑作なんだ。聞いてるかい？」と、ダニエルは微笑しながら話しつづけた。「あいつ、香水屋の息子のレヴィルの女になっていた。ところが、そのレヴィルには正妻があって、しかもその正妻は、銀行家ジョスと不義をしていた。聞いているかね？」

「聞いているとも」

「なんだか、寝てでもいるように見えるからさ……ある日、大金持ちのジョスは、情婦であるレヴィル夫人に、真珠の首飾りをおくろうと思った。だが、それをレヴィルに気どられないためにはどうしたらいいか？　ところが、ジョスもなかなかしたたか者さ。やっこさん、婦人矯風会後援の福引という やつを考えついた。そして、亭主のレヴィルに二十スーの切符を十枚買わせ、女房のために、首飾りを引きあてさせてやったのだった。ところが、これから事がめんどうになる。レヴィルは、ジョスに礼状を出した。ところが、追って書きで、福引のことはどうか家内にお話しくださらないようにと書いてやった。つまり、自分の女のマリ・ジョゼフにやってしまったからなんだ……ま、待ってくれ。おもしろいのはこれからだ……ジョスはおこった。そして、つぎのことだけしか考えなかった。すなわち、その首飾りを取りもどすか、せめてはその首飾りをしている女を手に入れるか。三カ月の後、彼はレヴィル夫人をけとばし、レヴィルからマリ・ジョゼフをさらってしまった。つまり、首飾りを持たない女と、首飾りを持った女と、すりかえたっていうわけなんだ。いっぽうレヴィルは、首飾りといったって、もともと二十スー札十枚にしか当たらなかったことなどすっかり忘れて、きいてくれる人さえあれば、はかり知られぬ女郎のまことを、口をきわめて罵倒している！……あ、こんなにちは、ウェルフ」と、彼は、いまはいって来たばかりの男、そして、早くも室の向こうのはしから《あんずさん》といってはやされていたりっぱな青年の手を握りながら言った。「ふたりとも、もう知ってるんだろう?」と、彼はジャックにたずねた。ジャックは、なんの愛想もなしに、ウェルフのほうへ手を出した。「よう、ピカ一」ダニエルは、さらにこう言いながら、通りかかった、例のロシア画家の青白いお相手であるポールの手に、キスしようとして身をかがめた。「ご紹介しましょう。ぼくの友人、チボー君」ジャックは立ちあがった。女は、病的な眼差しを彼にそそいでいた。つづいて、それを、さらに長いことダニエルの上にそそいでいた。女は、何か言いかけてためらっているというようだった。そして、そのまま向こうへ行ってしまった。

「きみは、ここへよくくるのかい?」と、ジャックが言った。

「いいや。そうだな、やっぱり来ているな。一週間に何度か。習慣なんだ。それでいて、ぼくはたいていの場合、おなじ場所、おなじ人たちにはたちまち飽きてしまうんだ。流れるものとしての人生、そうしたものを感じたいんだ……」

《おれは合格したんだ》と、ジャックはとつぜん考えた。彼の胸は、ふくれかえった。彼は、ひとつのことを考えついた。

「メーゾン・ラフィットの電信局は何時までやっているかしら?」

「もうしめてらあ。でも、今夜電報を打っといたら、あした一便でお父さんのところへつくだろう」

ジャックは、ボーイにちょっと合図をした。

「書くものを」

彼は、熱にふるえるような手つきで電文をしたためはじめた。いまごろになって、あわてて合格の知らせを出すというのも、いかにもジャックらしいことだった。ダニエルは、微笑を浮かべた。そして肩ごしにのぞき込んだ。ところが、彼はあわてて身を起こした。それは、他意なく犯した無作法の結果、ハッとさせられ、とりわけ当惑させられたからだった。すなわち、そこには、チボー氏のあて名のかわりに、《フォンタナン夫人。森の道。メーゾン・ラフィット》という文字が続まれたからだった。


さっと物めずらしげなざわめきが、おりからのひとりの栗色髪の美しい女をつれてはいって来た常連の老婦人のまわりにわき起こった。その若い女の、べつに気おくれしたとはいえないまでも、いかにもかたくなっているようすから、どうやらここへははじめてらしいことがうかがわれた。

「よう、新顔だぞ」と、低い声でダニエルが言った。

おりから通りかかったウェルフは、微笑してみせた。

「知らなかったのかい?」と、彼は言った。「ジュジュおばさんが、新しいのをご披露するっていうわけなのさ」

「とてもすごいや」と、ダニエルは、ちょっと黙っていたあとで、もったいぶって口に出した。

ジャックはふり返った。たしかにすばらしい女だった。明るい目、白粉気《おしろいっけ》のない頰、この家のものとはちがう物腰。女は、何ひとつ飾りのない、宝石ひとつついていない、ほんのり桃色がかったリノンの服を身につけていた。それにくらべると、ここでの一番若い女たちさえたちまち色香があせてみえた。

ダニエルは、またもや、ジャックのそばへ来て腰をおろしていた。

「ひとつ、ジュジュおばさんのそばへ寄ってみるといいぜ」と、彼は言った。「ぼくはよく知ってるんだ。なにしろ一風変わった人物だ。彼女はいま、社会的地位といったようなものを持っている。かなり堂々たる家に住んでいる。面会日もきめている。夜会もする。お目見えの女たちの世話もみる。その特徴とするところは、いままでかつて、旦那持ちになろうとしなかった点にあるんだ。一個のりっぱな町の女さ。しかも彼女は、ついぞ出世しようなどと思ったことがなかった。三十年ものあいだ、ずっと鑑札生活をつづけて、いつもマドレーヌ寺院とドルオ町のあいだを流していた。だが、彼女は、生活をふたつに分けていた。朝の九時から夕方まではバルバン夫人。そして、リシュ町の中二階に、ちょっとした中産階級の生活をしていた。天井からはつりしょくだいをさげ、女中をひとりつかい、中産階級らしいさまざまな道具だて。出納簿をつけ、投資を考える必要上、取引所の相場表に目をさらし、そのほかいろいろな家事上の心づかい、親戚の関係、甥どもとか、姪どもとか。そしてそのときどきの誕生祝い。一年に一度は、クリスマス・ツリーのまわりにあつまって、子供たちのおやつの催し。ぼくは、なにひとつ作りごとなんか言ってるんじゃないぜ。そして、五時になると、毎晩、天気模様のいかんにかかわらず、綿ネルのふだん着をぬいで、いきなタイユールに着替える。そして、少しもいやな顔をせずに、商売に出かける。もうそのときには、バルバン夫人なんかさらりとぬぎすて、生まれかわったジュジュの姐御《あねご》だ。いつも陽気で商売熱心、その疲れることを知らない勤めぶりは、ブールヴァールあたりの旅館という旅館で、誰ひとり知らぬもののない評判だった」

ジャックは、ジュジュおばさんから目を放さなかった。まるで、田舎の司祭といったような、精力的で、陽気で、それにちょっとずるそうな顔だちの女だった。そして、いまではまっ白になった短い髪の上に、つばのひろいストロー・ハットをかぶっていた。

ジャックは、考えこんだようすで、くり返した。

「少しもいやな顔をせずに……」

「そうなのさ」と、ダニエルが言った。そして、ジャックのほうへ、いじの悪そうな目つき、ちょっと突っかかるような目つきをそそいで、ホイットマンの詩の二連を、つぶやくように口にした。

《You prostitutes flaunting over the trottoirs or obscene in your rooms,
Who am I that I should call you more obscene than myself?》
汝、媚《こび》を売る女たち、路上にあっては、これ見よがしに媚を売り、
部屋にあっては淫猥にふるまうものたちよ、
だが、きみたちを、自分よりさらに淫猥であるというわたし自身、
いかなるもので

あるだろうか？（『秋の小川』）

ダニエルは、自分が、ジャックの潔癖さを刺激していることを百も承知だった。彼は、ジャックが、何カ月かのあいだ、――そして、それはおそらくダニエルの放縦さにたいするつもりあてだったのかもしれないが――ほとんど清浄とさえいえるほどな身持ちを楽々としてみせているのにじりじりして、むしろ、わざとそうやっていたのだった。ダニエルは、ジャックのそうした態度をみせられて、それを案じてやるほどの人の好さを持っていた。彼は、ジャックの、かつてはもっと猛烈になりそうだった性格が、近ごろどうやらぐったりした昏睡状態に陥りかけているのを見て、ときどきジャック自身でさえちょっと心配していることを知っていた。そうした微妙な問題は、この冬、ちょうど劇場からの帰りみち、大通りを行く恋人たちのうしろについて行きながら、ふたりのあいだに取りあげられたものだった。ダニエルは、ジャックが、あまりにも無関心であることにびっくりした。――「しかも」と、そのときジャックが言った。「ぼくはとても健康なんだ。徴兵検査に行ったとき、ぼくは、自分がとても元気な連中のひとりだということをたしかめたんだ……」そして、ダニエルは、そのときのジャックの声が、それと感じられないほど不安にふるえていたことを思いだした。

だがダニエルは、遠くのほうからふたりのほうを向いているファヴリの姿を見つけると、そうした思い出から引きもどされた。ファヴリは、いかにも抜けめのないおうようさで、帽子、ステッキ、手袋をクロークの女に渡していた。そして、早くも笑いをたたえながら、ジャックのほうへ来ながらこう言った。

「兄さんは、まだ？」

ファヴリは、夜になると、いつも少し高すぎるカラー、それに借り着といったように見える新しい服を身に着けていた。そして、そり立てのあごをつき出しながらいかにもさっそうとしたところ、ウェルフをしていつも《高師《ノルマル》、バビロン征伐に出陣の図》と言わせたものだった。

《おれは合格したんだ》と、ジャックは思った。彼には、このままこっそりここを逃げだし、今夜すぐにも、メーゾン・ラフィット行きの汽車に乗りたいと思った。だが、兄がここへやって来るといったこと、そしてもうじきやって来るにちがいないことを思うと、身動きできない気持ちだった。《よそう》と、彼は思った。《そのかわり、あした早く行こう》彼はすでに、さわやかな空気にゆあみしているような気持ちだった。朝の太陽が、並木道の露を吸いあげている……パクメルなんか、もうどこかへ行ってしまっていた……

ありとあらゆる電灯が、まばゆいばかりにパッとともって、彼は、無気力状態から引きだされた。《おれは合格したんだ》彼は、すぐに現実との交渉をつけておこうとでもするように、あらためてそう思った。彼は、目でダニエルをさがした。ダニエルは、片すみで、ジュジュおばさんと小声で話しこんでいた。ダニエルは、軽便椅子の上に斜めに腰をかけていた。そして、熱のこもった話しぶりがその優雅な風采、顔だちとか眼差しとか微笑とかのなかにうかがわれる聡明さ、上げかけたまま途中でやめているきゃしゃな両手などをぐっとひき立たせてみせていた。彼の手や微笑や眼差しは、まさに唇ほどに物を言っていた。ジャックは、飽きもせずに、じっと彼をながめていた。《美男子だな！》と、ジャックは、べつに考えをまとめるでもなしにそう思った。《若い、潑剌とした青年が、これほど全的に現在の中に生きられるなんて、なんとすばらしいことだろう！　しかも、これほどすなおに！　彼はおれの見ていることを知らずにいる。考えてさえもいない。どんな拘束も気にかけていない。人に見られているのに気がつかずにいる男、こうした男の性格の秘密をつかんでやらなければ！　いったい、おおぜいの中にいて、周囲のものをすっかり忘れてしまえるような人間がいるだろうか？　あの男は話している。自分の話に夢中になっている。ところが、このおれは、いままでかつて、天真爛漫になれたためしがない。おれには、とうてい、あれほど自分をむなしくすることができそうもない——せめて、誰にも見られないしめ切った部屋の中ででもあればべつだが。しかも、そうしたときでも！》彼はちょっと考えた。《ダニエルは、特に観察家といったような男ではない。だから、おれのように、見ているものに心をうばわれるということがない。あくまで、自分自身でいられるんだ》彼は、ふたたび考えた。《ところが、このおれは、すっかり外の世界にのまれている》と、彼は、立ちあがりながら結論をくだした。

「予言者さん、だめだわよ。いくら言ったってむだだわよ。あの子は、あなたのために来たんじゃないんだから」と、ちょうどそのとき、ジュジュおばさんがダニエルに言っていた。ダニエルは、眼差しに、むっとしたような色を浮かべた。それを見るなりおばさんは笑いだした。

「さあさあ！　お掛けなさいよ、すぐなおるわよ」

（それは――ほかのいくつかのきまり文句、たとえば《あなたはあたしのマスコット》とか、《誰も興味を持たないわ》とか、《それもよし――からだに別条ないならば》とかいったようなのといっしょに、時節時節にいろいろ取りかえて用いられるばかげきったありきたりの文句のひとつ。それを、常連たちは、おりあるごとに、わけ知り顔な微笑とともに、たがいに取りかわしていたのだった。）

「どこで見つけてきたんだい？」と、ダニエルは、執念深く彼女にたずねた。

「だめよ、あんた。あんたのお相手につれてきたんじゃないって言ってるじゃないの。これは特別な人なのよ、かわいい子なの。上玉なのよ」

「だって、どこで見つけてきたかくらい言ったってよかろう？」

「じゃ、手出しをしないって約束できる？」

「できなくってさ」

「こういうわけなの、あたしが肋膜をやってたときなの。おぼえてる？　そう知ると、あの子は、誰にもきかないでやって来たの。しかも、肝心なのは、あたしのほうでは、あの子をほとんど知っていなかったっていうことなの。なるほど、一度か二度、あの子のために計ってやったことはあってよ。でも、それもほんのちょっとしたこと。（というのは、あの子は、それまでにずいぶん苦しい目にあってたの。大事件、つまりあの子は、ある社交界の殿方が好きになってね。そして、子供を生んじゃったの――そんなように見えるかしら？――でも、子供はすぐ死んじゃった――そういうわけで、あの子の前で子供の話をしたりすると、すぐめそめそしちまうのよ。）で、あたしが肋膜をやっていたとき、あの子は、まるで妹のように、あたしのところに来てくれた。そして、六週間以上、夜昼わかたず、まるで自分の血を分けた娘ででもあるように、とてもしんみに世話してくれたの。一日のうちに、なんべんとなく、吸い玉をあてててくれてね。そうなのよ、あの子はあたしをたすけてくれたの。はっきりそうなの。しかも、むだなお金なんかつかわなかった。あの子は、まったくのお宝だわ。そこであたしも、ひとはだぬいでやろうと決心した。ところで、年は若いし、色恋のことしか頭にない。で、あたし、たしかに売り出させてやれるだろうと思うのよ。ところで、あなたも知ってるわね、売り出すっていうこと！　（あなたも片棒かついでいただきたいのよ。どういうふうにしてかはあとで話すわ。）この三カ月っていうもの、あたしあの人に付きっきり。まず第一には、名まえをつけてやらなければ。ヴィクトリーヌ――ヴィクトリーヌ・ル・ガッド。二字でル・ガッド。それはまだしも、ヴィクトリーヌときては助からない！　そこで、リネットってしたの。悪くはないわね？何から何までこのちょうし。言葉づかいは、コランさんにたのんで教えてもらった。それまでは、ブルターニュなまりがひどくって、どなたもげらげら笑ったものなの。それがいま、ちょうどいいころ合いに残ってるのよ。ちょっと外国ふうなところ、ちょっとぴりっとしたところ、ちょっとイギリスふうといったところ、それがちょっと愛くるしくって。二週間で、ボストンも踊れるようになっちゃったのよ。羽根のように身も軽いし、それに、なかなかどうしてばかじゃないのよ。歌をうたってもたしかだし、声に熱があり、ちょっとはすっぱなところもあってね。それがあたしの気に入ったの。したく万端ととのったし、いよいよ今夜が進水式、あとは帆に風をはらませてやればいいだけ。だめ、まじめに聞いてくださらなくちゃ。じつは、そのことでひとはだぬいでいただきたいの。あたし、リュドウィクスンさんにあの子のことを話したの。あの人、ベルタに逃げられてからっていうもの、まるでふらふらになって落ちつかないの。ところが、きょう、あの子を見にくるって約束したのよ。あんた、ひとことでいいから、気に入ったって言ってくださらない？　そうしたらあの人、たちまち首ったけになるんだから。ね、あの子には、リュドウィクスンさんのような人が必要なのよ。あの子の考えてるのは、小金をためて国に帰るということだけ。しかたがないわ、それがあの子の趣味なんですもの！　ブルターニュ生まれの女ときたら、そろいもそろってそうなのよ。魚市場に小さな店をひとつ持ちたい。それに、ずきんとプロセッション（宗教的な行列）、何から何までがブルターニュなの！　あの子はなにも夢のような大身代を作りあげようなんて思っちゃいない。きちょうめんに、人の言うことを聞きながら、はやくお金をためようっていうのよ。あたし、お正月過ぎまでにはせめてお札の二十枚でもためさせてやりたいと考えてるのよ。そして、それを何に投資させてやろうかっていうことまで。ところで、あなた、なにかもうけ口をご存じない？」

「したくができたぞ！」と、やかましくさけびたてる声が聞こえた。

ダニエルは、ジャックのそばへ寄って来た。

「兄さん、まだこない？　とにかく席につこうじゃないか」

二十人まえばかりのしたくのできている長い食卓をかこんで、みんなはちょっとざわついた。ダニエルは、ジャックが、うまくリネットの左にすわれるようにしてやった。ジュジュおばさんは、リネットを手もとから放さなかった。そして、自分の右に、できるだけ近くひきつけていた。だが、みんな席についたので、ジャックも椅子にかけようとしたとたん、ダニエルはいきなり彼を押しのけた。

「代わってくれろよ」そして、返事も待たずに、荒々しく腕をつかんで押しのけた。

だが、ダニエルは、手首をぐっとダニエルの指でしめつけられ、あやうく声を立てかけたのをがまんした。

ジャックは、わびを言うことさえ忘れていた。

「ジュジュおばさん」と、ダニエルが言った。「お隣のかたに、紹介してくだすったらいいと思うんだが」

「まあ、あんた！」おばさんは、ダニエルの策略に気がついて、むっとしたらしい声で言った。それから、食卓についいて一同に向かって「みなさん、リネット嬢をご紹介いたします」そして、おどすように、「万事あたしが監督しているかた」

「ぼくたちも紹介しろ！　ぼくたちも紹介しろ！」と、幾人かがさけんだ。

「みなさん下ごころがおありになってのことなんですね」と、ジュジュおばさんはためいきをついた。そして、ふきげんらしく立ちあがると、帽子をぬぎ、それを給仕をしている《看護婦さん》たちのひとりのほうへ投げてやった。それから、「予言者さん」と、ダニエルをさしながら紹介をはじめた。「まじめなかた」

「はじめまして」と、リネット嬢がやさしく言った。ダニエルはその手を取ってキスした。

「つづけたり！　つづけたり！」

「そのお友だちの、なんて申しあげていいかわからないかた」おばさんは、ジャックのほうへ腕をのばしながら言った。

「はじめまして」と、リネットが言った。

「おあとがポールさん、シルヴィアさん、マダム・ドローレス、それから見たことのないぼっちゃん、奇跡のぼっちゃん。つづいて通称あんずと呼ばれているウェルフさん。カビーさん、ひょうたんさん（同時に《おばかさん》に通ず）……」

「たくさんだ」と、冷笑するような声がさえぎった。「先祖代々の名まえにねがいたいな。お嬢さん、ファヴリです。熱烈なるあなたの賛仰者のひとり」

「あなたはあたしのマスコット！」と、誰やら皮肉に言ってのけた。

「リリーさん、アルモニカさん、またの名、いつもくっつき同士」と、ジュジュおばさんは耳もかさずにつづけた。「大佐さん。べっぴんのモードさん。存じあげない殿方がおひとり、ご同伴は、とてもよく存じあげているんだけれどお名まえを忘れちまったご婦人がおふたり。つぎが空席。そのつぎも同様。通称チビ・バットことバンタクールさん。マリ・ジョゼフさんと、その真珠の首飾り、マダム・パクメル」それから丁寧に頭をさげて「さて、どんじりがジュジュおばさん」

「はじめまして——はじめまして——はじめまして」と、リネットは、少しの悪びれたようすもなく、鈴のような声でくり返した。

「これではマムゼル・リネットなんて言えないな」と、ファヴリが言った。「これでは《マムゼル・

はじめまして》だ！」

「ええ、どうぞ」と、リネットが言った。

「さあさあ、ひとつ《マムゼル・はじめまして》のために、シャン、シャン、シャンといこうぜ！」

彼女は笑っていた。自分のために手を打ってもらったので、いかにもうれしそうなようすだった。

「さあ、ポタージュを出して」と、マダム・パクメルが言った。

ジャックは、ダニエルをひじでついた。そして、手首のところの、まるく、赤くなっているところをしめした。

「いったい、さっきはどうしたんだ？」

ダニエルは、ふざけたような眼差しで彼を見た。そこには、悔恨の色など見られなかった。それは燃えるような、いささか気ちがいじみた眼差しだった。

「I am he that aches with amorous love.（大意――われはこれ、恋の悩みになやめるもの）」と、ダニエルは声を低めて言った。

ジャックは、リネットのほうを見ようとして首をまげた。ちょうどそのとき、彼女のほうでもこっちを向いた。ジャックは女と目と目を合わせた。それは、牡蠣《かき》とでもいったような、緑いろの、新鮮な、じっとり潤っている目なのだ。

ダニエルは言葉をつづけた。

「Does the earth gravitate? Does not all matter aching, attract all matter ? So the body of me to all I meet or know.（大意――地球も引力を持っているではないか？　あらゆる悩めるものは、他のものを引きつけはしないだろうか？　わが肉体も知れるかぎりの人たち、出会うすべての人たちに引きつけられる）」

ジャックはまゆをしかめた。ダニエルが情熱の爆発に身をまかせ、快楽に向かって突進し、ほかの者がいくらとめようとしてもとめられなかったためしは、何も今度がはじめてではなかった。そして、そのつど、ジャックの友情は、われにもあらず立ちすくまざるを得なかった。ところが、ちょっとした愉快な事実が、彼の考えの向きを変えさせた。彼は、ダニエルの鼻の中に、まっ黒なうぶ毛がはえていて、そのため、鼻の穴が、まるでお面の穴のように見えているのに気がついた。彼は、目で、《予言者》の手をさがしてみた。美しい、すっきりした長い手。だが、それには、やはり褐色のうぶ毛が生えていた。《Vir pilosus.（ラテン語で《毛深い男》の意）》と彼は思った。そして、たまらなく微笑したくなってきた。

ところで、ダニエルは、またもやからだをもたせかけてきた。そして、まえのちょうしをそのままに、さもホイットマンの最後の引用句とでもいったように、

「Fill up your neighbour's glass, my dear.（大意――きみよ、隣人の杯を満たせ）」

「マダム・パクメル、今夜のメニューは読めないぞ」食卓の向こうがわから、気どったちょうしで誰かがどなった。「マダム・パクメル、黒星ふたつ」と、おごそかにパクメルが言った。

「それもよし――からだに別条ないならば」と、彼女は落つきはらったちょうしで答えた。

ジャックのとなりにはポールがいた。いかにも顔色のわるい、堕《お》ちたる天使といった感じ。その向こうには肉づきのいい女。なにも言わずに、ひとさじ口に入れては口のはたをふいていた。それからずっと先、ほとんどジャックの正面には、さっきジュジュおばさんがマダム・ドローレスといった女。

縮れ髪をぐっとひたいにたらした栗色髪のその女のそばには、七、八歳と思われる男の子がひとり、かなり貧しげな黒の服を着せられ、澄みわたった目で、会食者たちの一挙一動を見まもりながら、おりおりちらりと微笑のかげを顔に浮かべていた。

「ポタージュを持ってきませんでしたね？」と、ジャックは、隣のポールにたずねた。

「けっこう、あたしいただきませんの」

女はいつも目を伏せていた。そして、目をあげるときには、それをいつもダニエルのほうへ向けていた。彼女は、ダニエルのそばにすわろうとして、あらゆる策をめぐらしていた。ところが、いざというときになって、ダニエルが自分の椅子をジャックにあたえたのを見て、彼女はジャックを恨めしく思っていた。顔はにきびだらけ、首筋には腫物《はれもの》のできているこんな男が、いったいどこから舞いこんできたというのだろう？　彼女は、赤っ毛の男を好かなかった。ところで、この栗色髪の男ときたら、ちょっと赤っ毛の男といった感じ。髪のかぶったひたい、ぴんと立った耳、それにあごのあたり、まさに野人といったかっこうだった。

「なにをぐずぐずしてるのよ？　早くナプキンをかけるんですよ！」と、マダム・ドローレスは、男の子の首にしっかりナプキンを結びつけてやりながらどなっていた。子供は、つやつやしたナプキンのぴんと立ったひだの中に、半分うずまってしまってでもいるようだった。

「女の人が自分の年を言うときには」おりからマリ・ジョゼフとなにか言い争っていたファヴリがさけんだ。「ほんとうはそれよりずっと年寄りなのさ。あの人は、制限年齢きっかりでコンセルヴァトワール（パリにある公立技芸学校。音楽、演劇などについての高等教育を与える）にはいったんだ。ちょうどいまから四十五年まえ、自分の妹の戸籍謄本を使ってね。そのおかげで年をふたつだけ若くできた……それで……」

「誰も興味を持たないわ！」とジュジュおばさんが、歌でもうたうように半畳を入れた。

「ファヴリって、おめでたいやつでね、なにか話に割りこむときには、いつもきまってパリでは毎秒九メートル八〇の重力加速度だって言わずにはいられない人間のひとりなんだ」と、かつて高等工《サント》芸学《ラル》校の試験準備をしたことのあるウェルフが言った。《あんず》というあだ名の男だった。つまり戸外スポーツをやったため、皮膚は日にやけ、そばかすのしみだらけになっていたからだった。だが、なんといっても堂々たる青年、肩のあたりはゆるやかに波を打ち、顴骨《かんこつ》はたくましく、唇ははちきれそうだった。夜になると、昼間じゅうぶん運動をした筋肉の快調が、青い目の中や、つやのいいひたいの上にまで輝いていた。

「なんで死んだのかわからないのさ」と、誰かが言った。

「ではなにをして生きてたのか知ってるのかい？」と、冷やかすような声が答えた。

「さ、早くなさいよ」と、マダム・ドローレスが子供に言った。「さ、今度はデザートが出るんだからね。早くたべないとあげませんよ」

「なぜ？」と、子供は彼女のほうへ、明るい目をふり向けてたずねた。

「あげまいと思ったら、あげないからね。さ、いうことをきいて早くおたべ」彼女はジャックが注意しているのに気がついて、さもわかってくれるだろうといったように微笑して見せた。そして、

「とても気むずかしやでして」と、言葉をつづけた。「たべつけないものですと、どんなものでもこわがりましてね。鳩のシチュー？　いやならあげませんからね！　もちろんいつもは鳩どころじゃなくって、キャベツと付けあわせのラードばっかりたべていたんでございますけど！　甘やかされたんでございますよ。ひとりっ子のごたぶんにもれず、かわいがられ、ちやほやされどうしというわけでして。それに母親というのが、長いこと病気をいたしましてね。ええ、ええ」彼女は、くりくりに刈りこんだ丸い頭をなでてやりながら言った。「甘やかされっ子でございましてね。ほんとにみっともなくって。でもおばさんとだと、それもやめにしなければ。坊や、あんた、女の子みたいに巻き毛にしときたいって言わなかった？　さ、もう気まぐれや甘えっ子はこれでおしまい。さ、たべるんですよ。ほらおじさんが見てらっしゃる。さ、早く」聞いてもらえているのにいい気になって、彼女はまたもやジャックとポールのほうへ微笑してみせた。「親なしっ子なんでございましてね」と、得意そうに彼女が言った。「つい今週、母親がなくなりました。あたしの兄弟のつれあいでして。胸をいためて、ロレーヌ州の自分の村でなくなりました。この子にしても」と、彼女は言葉をつづけた。「あたしが引き取ったからよかったようなもんでしてね、どちらをむいても、誰もいないんでございますもの。たよるものといってはあたしっきり。でもこれからがいろいろ苦労だろうと思いましてね」

子供は、食うのをやめていた。そして、じっとおばを見まもっていた。話がわかるとでもいうのだろうか？

子供は、奇妙な声でこうたずねた。

「死んだの、ぼくのお母さん？」

「そんなことにかまわずたべるんですよ」

「たべたくない」

「まあ、これなんですよ！」と、マダム・ドローレスが言った。「そうなのよ、あんたのお母さんは死んだのさ。だから、いうことを聞いておたべなさいよ。でないと、アイスクリームをあげないから」


ちょうどこのとき、ポールが首をふりむけた。そして、女の目とゆきあったジャックは、その目の中に、自分の感じているのとおなじような不愉快さを読みとったように思った。女の首筋は細く、それはよく動き、そしてその色つやはわるく、頬にくらべてずっと青白かった。彼女のきゃしゃさは、人をして優しいいたわりの気持ちで見まもらせずにはいなかった。ジャックは、そうした女の首、それにまた、しなやかな、わずかにうぶ毛の生えている皮膚をながめていた。そして、彼女の唇のあたりに、なにやらやさしい感触を感じていた。彼は、なにか言おうと思った。だがなんと言っていいかわからないままに、ただ微笑してみせた。女は、こっそり彼のほうを見た。いま見ると、彼はまえほどみにくくも思われなかった。だが、女はとつぜん、胸をきりりと刺されたように感じ、その顔からは血の気が引いた。女はテーブルのふちに両手をついた。そして、意識を失うまいと舌をかみしめながら、心もち顔をのけぞらした。

ジャックは女を見た。それはまるで、そこのテーブル・クロースの上に死ににきた小鳥とでもいったようすだった。ジャックは、低い声でこう言った。

「どうしました？」

ジャックは、なかば閉じられたまぶたのあいだに、白目のあがってしまっているのを見た。女は、気を張った。そして、からだを動かさずに、つぶやくようにこう言った。

「なにもおっしゃらないで」

彼は、咽喉《のど》がしめつけられたようになって、人を呼ぼうにも、おそらく声が出なかったにちがいなかった。それに、みんなはべつにふたりに注意していなかった。彼は、ポールの手をながめた。じっと動かなくなった指は、小さなろうそくとでもいったようにすきとおり、つめが、まるで紫がかったしみのように見えるほどの生白さだった。

「ぼくの目ざましは、六時半に、コップの上にうまく釣り合いをとってのせておくコーヒー茶碗の下皿の中で鳴るんでしてね……」と、ファヴリが、得意そうに咽喉をごろごろ鳴らしながら、隣の女に説明していた。

ポールは、さっきにくらべるとだいぶ顔色がよくなって、ふたたび目をあけかけていた。そして、こっちをむきながら、なにも言わずにいてくれたことの礼を言おうとして、かすかに微笑をうかべてみせた。

「なおりましたわ」と、女は、ささやくように言った。「ときどき発作的に起こりますの。心臓がきりきり刺されるように痛みますの」そして、まだ引きつれている唇の端で、一脈の哀愁をこめながらつけ加えた。「お掛けになってよ、すぐなおるから」

ジャックは、彼女を腕に抱き、こうした汚れたところから遠くへつれさってしまいたかった。彼は、女のためにつくしてやり、病気をなおしてやりたかった。ああ、彼は、すべての弱い人たち——彼からの助けをのぞんでいるであろう人たち、いな、せめてそれを受け入れてくれるであろう人たちに、どんなにか愛情を感じていたことだろう！

彼は、そうした夢のような考えをダニエルに打ちあけようとした。だが、ダニエルのほうは、ほとんどジャックのことなど考えてさえもいなかった。

ダニエルは、リネットをあいだにおいてジュジュおばさんと話していた。それは、彼にとって、リネットのほうをむき、彼女のからだのぬくみに近づくための口実だった。彼は、食事のはじめから、それと目にたたないような心づくしをみせながら、一種の戦術から、ほとんど言葉をかけないようにしていながら、あきらかに心の中では、彼女のことだけしか考えていなかった。彼女は幾度となく、自分を見ている彼の目に出あった。そのたびごとに、なぜだかわからないが、そうした眼差しをうれしく思うどころか、かえってへだたりの気持ちを起こさせられていたのだった。そして、りんとした彼の顔だちまでに、それを美しいとは思いながらも、かえって反発を感じさせられていたのだった。

なにかはげしい論争が、食卓のむこうのはしのほうを活気づかせていた。

「うぬぼれてやがる！」と、《あんず》が、ファヴリにむかってさけんだ。

相手もそれに賛成した。

「そうだ、おれもたびたびそう思うんだ」

「だが、思いかたが足りないや」

そこで、みんなはからからと笑った。ウェルフは、しめくくりをつけるとでもいったように、

「ファヴリ」と、わざと声を張りあげて言った。「失敬だが、ぼくはこう言いたいな。きみは、女について、いままで……女と話したことのない男とでもいったような口のきき方をしたと思うんだが！」

ダニエルは、笑っているファヴリのほうをじっとながめた。そして、さもその論争がリネットについて起こったとでもいうように、ファヴリの目が、彼女のほうへそそがれているように思った。大胆な、みだらな眼差し。それはたちまち、ファヴリにたいするダニエルの反感をそそり立てた。ダニエルは、ファヴリの信用を失墜させるような、いろいろな話を知っていた。彼は、それをリネットの前で話してやろうという狂暴な欲望にそそり立てられた。彼はいつもそうした誘惑に抵抗できない性分だった。彼は、ふたりの女だけに聞こえるように声をひそめながら、そして、リネットをただ第三者として話の中に入れているといったように、ジュジュおばさんのほうへ身をかしげながら、さりげないようすでこうたずねた。

「ファヴリと、彼と関係しているよその奥さんの話を知っている？」

「知らないわ」と、おばさんは話にのってきた。「聞かせてよ。それから、タバコを一本。今夜は食事が長びきそうね」

「ある日——というのは、女はずっとまえからあいつと関係があったんだ——女はスーツケースをさげて、あいつのところにころげ込んできた。《もうあたしにはがまんできないわ。あなたといっしょに暮らしたいの……》、なんてね——《でも、きみのご主人は？》——《主人？　あたし置き手紙をしてきたのよ。〈なつかしき……ユジェーヌさま。あたし、人生の転換期にさしかかりました……あたしには、自分の愛情を、親しい心の中にそそぐ必要と、またその権利がありますの……あたし、そうした心を見つけました。で、家出をさせていただきます〉》」

「心だって？　じょうだんじゃないわ」

「それはあいつの問題さ。つづきを聞いてもらおう。驚いたのはファヴリさ。女がころがり込んできた。さらに困ったことは、やがて離縁され、自由なからだになり、結婚をせまってくるかもしれない……ここにおいて、やっこさん、いわゆる天才的な考えというやつを思いついた。彼は、女の亭主へ手紙を出した。《拝啓、小生は、ご令閨が小生をしたい、ご家庭を捨てて小生のもとにお出でありしことを確認いたすものに御座候。敬具。ファヴリ》ってね」

「しゃれてるわね」と、リネットがつぶやいた。

「さ、どうだかな」と、ダニエルは、いじの悪そうな微笑を浮かべて言いかえした。「というのは、こうしたわけだ。悪がしこいファヴリのやつ、将来のことを考えて、そうした手続きを取っておいたというだけなんだ。つまり彼には、夫が、その手紙を裁判所に提出するにちがいないことがわかっていた。ところが、法律では、姦夫が、姦婦と婚姻することをぜったいに禁じている——《法律を知ってるというのも悪くないものさ》あいつ、その話をするたびにいつもそう言ってる」

リネットは、考えこんでいた。やがて、それがのみこめると、

「ま、ずいぶんひどいわね！」と、さけんだ。

彼女のほうへ顔をさし出していたダニエルには、その顔に、また唇に、彼女のいぶきが感じられた。彼は、長くながく息を吸い込んだ。そして、ほとんど目をとじずにはいられなかった。

「で、その女とは別れたの？」と、おばさんがたずねた。

ダニエルは、なんとも返事をしなかった。リネットは、彼のほうへ目をむけた。彼は、まぶたを半分おろしていた。彼には、自分の欲望のはげしさを隠してのけるだけの自信がなかったのだった。彼女は、ぐっと近くから、すべすべした彼の皮膚、きっぱりした口の線、ぴくぴくふるえているまつげを見た。そして、この顔にしめされた虚偽の秘密をずっとまえから知りつくしていたかのように、彼女の中の、まるで本能とでもいったように明々白々な何ものかが、たちまち彼にたいして反発をしめした。

「それから、その女の人、どうしたの？」と、ジュジュおばさんがたずねた。

ダニエルは、落ちつきを取りもどしていた。だが、声にはまだ軽いふるえがのこっていた。

「自殺したとかいうことだ」と、彼は言った。「ファヴリは、結核だったと言ってたっけ」彼は、笑ってみせようとした。そして、手をちょっとひたいにあてた。

リネットは、できるだけダニエルから身を離していようとして、からだをしゃんと立て、椅子の背

にもたれていた。どうしてこんなに胸さわぎがするのだろう？　それは、彼の顔、彼の微笑、彼の眼差しを見ると同時に、たちまち彼女の心に起こったところのものだった。彼女には、この美貌の青年のなにからなにまでがいやだった。からだのかがめかた、あか抜けのした物腰、とりわけその手、長い、神経質な手……。見ず知らずの人にたいする、これほどまでの嫌悪の気持ちが、こうしてまるで待ってましたとばかりに準備されていようとは、彼女自身にさえ信じかねることだった。

「じゃ、つまりあたしがうわき者だっていうことなのね？」と、マリ・ジョゼフが、列座の人々を証人にしてさけんでいた。

バタンクールは、人が好さそうに微笑した。

「といって、何もぼくのせいじゃないんだ。つまりフランス語には、きわめて典雅なこうした行為、すなわち、相手の気に入ろうとする行為をあらわすため、ほかに適当な言葉がないんだ……」

「ま、なんてことを！」と、マダム・ドローレスが金切り声を出した。

みんなはいっせいにふりむいた。だがそれは、例の男の子のことだった。子供は、さじでしゃくったアイスクリームを上着のうえにひっくりかえしたのだった。そして、彼女に洗面台のほうへひっぱられて行くところだった。

ジャックは、彼女が席を立ったあいだに、

「あのかたを知っていますか？」と、ポールにたずねた。彼には、こうしてそばによれることがうれしかった。

「ほんの少し」ポールはそのまま黙ってしまいかけた。彼女は口数の多い女ではなかった。それに、なんだか悲しい気持ちになっていた。だが、ジャックからは、さっきとても親切にしてもらっていた。

「悪いかたじゃありませんの」と、彼女は言葉をつづけた。「それにお金持ちなんですの。ずいぶん長いこと、芝居を書いてる人といっしょになっていましてね。それから薬剤師の人と結婚して、そして、その人に死なれましたの。いまでも、特別な調剤を知っていて、なかなかたいした収入なんですって。ご存じ？《ドローレスたこ取り薬》？　ご存じない？　では、おたずねになってごらんなさい。ハンドバッグの中に見本を持っていますから。すばらしいお薬。それに、いっぷう変わったかた。家には、ほうぼうから拾ってきたねこが一ダースばかり。それに、お魚も。寝室には養魚器があるんですの。とても生きものがお好きなんですのよ」

「でも、子供は好きでなさそうですね」

ポールは首を振ってみせた。

「ま、そうしたようなかた」と、言葉をむすんだ。そして、
話したあとで、彼女は苦しそうに息をしていた。ジャックはそれに気がついた。だが彼は、なおもないしょ話をつづけようと思った。てっきり心臓がわるいんだなと思った彼は、おろかしくも、つぎのようなことを言ってしまった。

「《こころには、理にてはかられぬ理のあるもの》（パスカル『パンセ』断章二七七番）」

彼女は、ちょっと考えこんでいた。それから、

「《理にてはかれぬ》」と、食卓の上を、ピアノでもひくようにたたきながら訂正した。「そうでないと詩になりませんわ」

彼は、しゃにむに彼女を我がものにしたくなっていた。それでいながら、彼女に一生をささげようといった気持ちは、まえよりずっと薄らいでいた。《おれという人間は、人からちょっとでも心の中を見せられると、すぐその人が好きになるんだ》と、彼は思った。彼は、そのことにはじめて気のついた散歩のときのことを、思いだした。それは去年の夏、ヴィロフレの森の中を、アントワーヌの友人たちや医学部の学生であるひとりのスウェーデンのお嬢さんと散歩していたときのことだった。お嬢さんは彼の腕に身を寄せながら、子供のころの思い出話を聞かせてくれていた。

とつぜん彼は、アントワーヌの来ていないのに気がついた。九時半！

彼は、いらだたしい恐怖におそわれ、ほかのことなど忘れてしまって、ダニエルの腕をとってゆすった。

「たしかに何かあったんだぜ！」

「何かって？」

「兄きにさ！」

おりからみんなは、食卓から立ちあがりかけていた。ジャックも、すでに立っていた。ダニエルも立って、リネットのそばから離れまいとつとめながら、ジャックを安心させてやろうとした。

「ばかな！　医者っていうものは……患者でもあってみろ……」

だが、ジャックはもうむこうへ向かって歩いていた。どう考えていいかわからず、予感に抵抗できなくなっていた彼は、すでに玄関まで駆けだして行っていた。そして、誰にもさよならを言わず、ポールのこともすっかり忘れて、そのまま外へ飛びだした。《兄きにまちがいがあったらおれのせいだ》と、彼は恐ろしい気持ちで心の中にくり返した。《おれのせいなんだ……おれのせいなんだ……あの、メディシス広場で見かけた男のように、黒の着物を着たいなんて思って……！》

三重奏の楽人たちが、ワルツをかなではじめていた。すでに酒場のホールでは、幾組かの男女が踊りはじめていた。ダニエルは、ファヴリがさも風を入れるといったようにあごを上げ、まばたきする目でじっとリネットをみつめているのを見た。彼は、急ぎ足で、ファヴリの先を越した。

「ボストンをおつきあいねがいませんか？」

彼女は、彼が自分のほうへやってくるのをながめていた。そして、敵意のこもった眼差しでじろじろ彼をながめていた。そして、彼に軽く頭をさげたあとで、

「いやでございます」

と言った。

彼は、おどろきをかくしながら微笑してみせた。

「どうして、いやなんです？」と、彼は相手のちょうしをまねながら言った。彼には、相手に思い直させるだけの自信があったのだった。彼は、「さあ！」と言いながら、ひと足女のほうへ歩みよっ

た。あまりに自信たっぷりなそのようすに、とうとう彼女は憤然とした。

「あなたとはいやなんですの！」と、彼女はきっぱり言ってのけた。

「いや？」と、彼はくり返した。その黒い目は、女にいどみかかって、さも《いまにみろ、踊らしてやるから》といっているかのようだった。

女はくるりと向きなおった。そして、そばへ寄ろうとしてためらっているファヴリを見ると、さも彼から申しこまれていたかのようにそのそばへ歩みより、ひとこともいわずに踊りはじめた。

ちょうどリュドウィクスンがやって来ていた。スモーキングを着た彼は、麦わら帽子をかぶり、スタンドのそばに立って、おかみのパクメルやマリ・ジョゼフと話していた。そして、なれなれしげにマリ・ジョゼフの首飾りをいじっていた。しかも、それとようすにあらわさず、その眠ったような眼差しで——かめの子のようなまぶたのかげに、動いていながらときおり、鉛をつけたステッキの一撃とでもいったように物なり人なりの上にそそがれるその眼差しで、じろじろ室を見まわしていた。

ジュジュおばさんは、踊りの組のあいだを泳ぎながら、リネットをさがしていた。そして、ようやく彼女をみつけると、ひじをつついた。

「早く。そして話してあげといたようにね」

ポールによって一方のすみへ押されていったダニエルは、うわの空の微笑を浮かべながら、女の言葉に耳をかしていた。彼は、ジュジュおばさんが、いかにもさりげないようすでマリ・ジョゼフの組にはいり込んで行くのと、いっぽうリネットが、踊りをやめて、奥の室の離れたテーブルにただひとり腰をおろしに行くのを見た。と、ほとんど同時に、リュドウィクスンとジュジュおばさんは、サロンふたつを通りぬけ、リネットのところへ出かけて行った。リュドウィクスンは、とくに自分が人から見られていると意識するとき、昔ふうの御者といったように、胴体をこわばらせて歩くくせをもっていた。彼は、自分が生まれつきアラビアの舞姫といったようなしりの持ち主であり、足を早めて歩くと、それが右に左に揺れることを知っていた。そして、そうしないように気をつけていた。リネットは、彼のほうへ手を出した。彼はそれに、ぼってりとした唇をあてた。ダニエルは、そうしたしぐさをする彼の、少しはげあがった頭、たくみにちぢれをのばした髪の毛の、ぴったりなでつけられている頭を見た。《なんといってもいっぷうあるな》と、彼は思った。《この東洋ふうな道化者の中には、荷揚げ人足といったようなところがある。と同時に、トルコの宰相とでもいったようなところがある》

リュドウィクスンは、その道の通といったような目つきでリネットを値踏みしながら、落ちつきはらって手袋をぬいでいた。やがて彼は、リネットの前に腰をおろした。そして、ジュジュおばさんは彼の横に腰をおろした。なにも注文しないのに、早くも飲み物が運ばれてきた。彼の習慣を、ちゃんと心得ていたからだった。彼はけっしてシャンパンを飲まず、いつもアスチ（イタリア、アスチ産の白ぶどう酒）を飲んでいた。それも沸騰しないやつを。氷で冷やさないやつを。そして、冷たくもなく、しばらく室の温度とおなじほどにあたためたやつを。——「ちょっとぬくめのやつをな」と、彼は言っていた。「日なたのくだもんのちゅゆといったようなやつをな」

ダニエルは、ポールのそばを離れると、タバコに火をつけ、酒場をぐるりとひとまわりしながら、そこにいた誰彼と手を握ったのち、二番めの室にはいって、そこの椅子に腰をおろした。リュドウィクスンとジュジュおばさんは、彼のほうへ背をむけていた。リネットとは、あいだに一室全部をへだてて、ま正面から向かいあっていた。すでにアスチの杯をかこんで、にぎやかな話がはずんでいた。リネットは、リュドウィクスンの垢ぬけのしたやり方に微笑を浮かべていた。彼のほうでは、リネットのほうへ身をかしげながら、あきらかにその容色にうたれ、彼女のための散財を重ねていた。ダニエルが自分のほうをうかがっているのに気のついた彼女は、わざと快活さを誇張してみせていた。

　ふたつの室のあいだの戸口を、踊りの組が、いく組となく通り過ぎて行くのが見えていた。カウンターのうしろでは、桃色の頬をした、ローレンス（十九世紀イギリスの肖像画家）の描いたようなひとりのグリュー（売春婦）が、白い階段の踏み段にあがって、両手で欄干につかまり、一本足で立ちながら、片方の足を振りふり、ぐっと顔をあげ、金切り声をはりあげて、ばかげたくり返しの文句——この夏ごろ、誰でもそらで知っていたあのくり返しの文句、

　チメルー、ラメルー、パン、パン、チメラ！

を、オーケストラに合わせて歌っていた。

　ダニエルは、タバコをくわえ、ひじをつきながら、じっとリネットを見つめていた。彼は、もう微笑を浮かべてはいなかった。顔はこわばり、唇はとがっていた。《どこかで会ったことがあるようだ》

と、リネットは考えた。彼女は、笑いこけながら、ダニエルと目を合わせないようにつとめていた。だが、それがだんだんむずかしくなってきた。そして、鏡に飛びかかるひばりとでもいったように、彼女の注意は、だんだん相手の執拗な眼差しに捕らえられていった。その眼差し、それはあいまいなものではなかったが、一枚かさをかぶったような眼差しで、焦点は、リネットよりずっと遠くの一点に合わされてでもいるようだった。あくまでも鋭く、しつこい眼差し。燃えるような、磁力をおびたような眼差し。彼女は、それからのがれることができたにしても、そのたびごと、そのためにする努力はますますむずかしさを加えていった。

ダニエルは、とつぜん、何か自分に身を寄せて動いているもののあるのに気がついた。緊張していただけに、彼は思わず飛びあがった。それは、腰掛けのクッションに身をうずめ、ドローレスのつやつやした外套にくるまって寝ていた例の親なし子の少年だった。少年は、指を一本口のはたにあてていた。そして、まつげのふちには、まだ涙がかわかずにいた。

もう音楽はやんでいた。ヴァイオリンひきが、テーブルからテーブルへの金を集めに歩いていた。それがダニエルのそばまで来たとき、彼は、その男の持っているナプキンの下に、紙幣を一枚すべり込ませてやった。

「つぎのボストンを、つづけて十五分」と、彼は、ささやいた。薄墨色のまぶたが、承知したしるしにまたたいてみせた。

ダニエルは、リネットが自分を見まもっているのを感じた。彼は、顔を上げて、女の眼差しをしっかりつかんだ。彼はいま、自分に女の眼差しがしっかりつかめたなと思った。彼は、たわむれに、一度二度、つかんだり放したりして、それをしっかり握っているかどうかをためしてみた。そして、最後に、じっとつかんで放さなかった。

リュドウィクスンは、すっかり興奮して、親切のかぎりをつくしていた。だが、彼にたいするリネットの関心は、だんだんわざとらしい、息切れしたものになっていた。彼女は、ヴァイオリンがつぎのワルツを奏しはじめたとき、その弓の第一触から、緊張したダニエルの顔を見てハッとすると同時に、いよいよ一か八かの事が起こるにちがいないと思った。まさにダニエルは、自分の席から立ちあがっていた。彼は、落ちつきはらって、獲物から目を放すことなく、サロンを横切って一直線に彼女のほうへ進んできた。彼にはまだ《おれは、リュドウィクスンの店での地位を賭してやっているんだぞ》と、考えるだけのゆとりがあった。それは、彼の欲情を刺激するむちの一撃とでもいうようだった。リネットは、じっと彼の近づいてくるのをみつめていた。そして、彼女の見すえている異様な目の輝きを見たリュドウィクスンとジュジュおばさんとは、ふたり同時にふり返った。リュドウィクスンは、ダニエルがあいさつをしにきたものと思っていた。そして、彼を自分のテーブルに迎えようとする身ぶりさえ見せていた。だが、ダニエルには、彼のことなど、眼中にないかのようだった。そして、首を伏せ、目を、恐れとうべないとが等分にうかがわれる女の緑いろの目の中に深くふかくそそぎこんでいた。女は、征服されたように立ちあがった。ダニエルは、ひとことも言わずに女を抱き、しっかり女をしめつけると、彼女といっしょにオーケストラのひかえている室のほうへ姿を消した。

リュドウィクスンとジュジュおばさんは、ふたりのあとを目で追いながら、しばらく身動きさえもしなかった。やがて、たがいに目と目を見かわした。

「ずうずうしいにもほどがあるわ！」と、彼女は、つぶやくように言った。その二重あごは、感動といかりにふるえていた。

リュドウィクスンはまゆを上げた。そして、それにはなんとも答えなかった。元来青白い顔の彼は、このうえ青くなるわけにいかなかった。彼は、その大きな手を、前におかれている杯のほうへのばした。そのつめは、紅めのうのように暗かった。彼は、ぶどう酒に唇をつけた。

ジュジュおばさんは、いまかけつけて来た人といったように、せいせい息を切らしていた。

「たしかにあの青二才、もうこれからお店で働かないつもりなんでしょうよ！」彼女は、復讐に燃える女らしい、冷ややかな笑いを浮かべながら言った。

リュドウィクスンは、びっくりしたようだった。

「フォンタナン君が！　それはまたどうして？」

彼は、つまらぬことなど歯牙にもかけぬ大貴族といったように微笑した。そして、きわめて落ちつきはらったようすで手袋をはめた。彼は、あるいはこうしたできごとを、心からおもしろがっていたのかもしれなかった。彼は、紙入れをだし、紙幣を一枚テーブルの上に投げた。そして、立ちあがるなり、礼儀正しいものごしで、ジュジュおばさんのほうへあいさつしてから、みんなが踊っている室のほうへ歩いていった。そして、しきいのところに立ちどまり、さっきのふたりが、自分の前にさしかかるのを待っていた。ダニエルは、彼の、いささかの悪意と、いささかの羨望と、いささかの賛嘆のこもった、眠ったような目に出会った。つづいて彼は、リュドウィクスンが、長椅子の列にそって出口のほうへすべってゆき、やがてガラス張りの回転ドアの中に姿を消すのを見た。回転ドアは、その揺れる波の中に彼を受け入れ、そのまま外へ投げだしてしまった。

ダニエルは、落ちつきはらって、ボストンを踊りつづけていた。見たところ、からだを動かさず、首をしゃんと立て、きっぱりした、同時に楽々とした冷静さで、足のつまさきをゆかからはなさずに、つまさきだけで踊っていた。うわの空のようすで、まるで酔ってでもいるかのように、自分でもおこっているのか楽しんでいるのかわからずに踊っていた彼女は、ただ相手の微妙なからだのうねりに身をまかせて、まるでいままで彼以外の誰とも踊ったことがないようだった。十分ほどすると、踊っているものはふたり以外になくなっていた。ほかの連中は、ずっとまえに疲れてしまって、いまはただふたりを取りまいて円を描いていた。五分たった。だがふたりは、ボストンを踊りつづけていた。やがて、オーケストラの連中は、最後の一番をかなでおわって演奏をやめた。

ふたりは、曲が鳴りおわるまで踊りぬいた。女は、彼の肩にもたれて、なかば失神したようになっていた。彼のほうは、むずかしい顔をして、その燃えるような眼差しのうえにしずかにまぶたを伏せていた。その眼差しを、彼はときおり、彼女の上にそそぎかけ、そうした眼差しを向けられた彼女は、うらめしい気持ちと欲情とに、代わるがわる胸を高鳴らせていた。

拍手の音が鳴りわたった。

ダニエルは、リュドウィクスンのいたテーブルまでリネットをつれもどった。そして、いかにもむぞうさに、あいているその席に腰をおろし、四番めの杯を持って来させ、それにアスチをなみなみとつぎ、愉快げに、それをジュジュおばさんのほうへ上げながら乾杯した。

「うへえッ！」と、彼は言った。「これはあまいや！」

リネットは神経質な笑い声を立てた。そして、目を涙でいっぱいにしていた。

ジュジュおばさんは、びっくりしたような目でダニエルをながめていた。いまは怒りの気持ちも消えてしまっていた。彼女は、立ちあがると、肩をすくめ、まのぬけたようなためいきをついた。

「それもよし――からだに別条ないならば」

それから三十分の後、リネットとダニエルは、つれだってパクメルを出た。

ひと雨あったあとだった。

「お車でございますか？」と、ボーイが言った。

「少し歩きません？」と、リネットが言った。ダニエルは、その声に、なにかだるそうなちょうしの見られたのをうれしく思った。

夕立にもかかわらず、またもひと荒れ来そうな暑さだった。町なかには人っ子ひとり見えず、街灯の影も暗かった。ふたりは、雨にぬれて明るい歩道の上を、そのまま静かに歩いていった。

彼らは、ひとりの兵士と行き会った。兵士は、ふたりの女の腰をかかえながら、おもしろそうに歩調を合わせて歩かせていた。

「一！　二！　ちがう！　左足をトンとひとつふんで。　一！　二！」彼らの笑い声は、長いこと、しんと静まりかえった建物のあいだに響きわたっていた。

酒場を出るなり、リネットは、彼が、その腕を自分の腕の下にすべり込ませるにちがいないと思っていた。だが、ダニエルは、女のおもわくを楽しみながら、相手のいらいらしだすのを待っていた。遠くで稲妻がぴかりと光ると、女のほうから身をすりよせてきた。

「夕立がすまないのね。もうひと雨きそうですわね」

「いい気持ちになれるだろう」と、彼はやさしいちょうしで答えた。そこには、さまざまな意味がこめられていた。控えめがちなダニエルにいささか気おくれさせられていた彼女には、そこに微妙な意味がくみとられた。

「あの、あたし、どこかでお目にかかったような気がするんだけれど」

彼は、やみの中で微笑した。彼は、女が、そうくるだろうと思っていた言葉だけしか口にしないのをありがたく思った。彼としては、女が、ほんとにどこかで会ったように思っているのか、そんなことなど考えてさえもいなかった。彼は、ちゃめっけから、あやうく《ぼくも！》と言いかけた。それを言ってしまったら、おそらく、ふたりはいろいろ架空な話をこしらえあげなければならなかったにちがいない。だが、彼は、沈黙をまもって、彼女の困るのを見ておもしろがっていた。

「なぜみなさん、あなたのことを《予言者》なんておっしゃいますの？」しばらく黙っていたあとで、女がたずねた。

「ダニエルっていう名まえだからさ（ダニエルは紀元前七世紀ごろの予言者の名）」

「ダニエル何っておっしゃるの？」

彼はためらった。彼は、少しでも自分というものを見せたくなかった。だが、リネットの好奇心にぜんぜん術策などありようもないのを見ると、彼女にたいして、いいかげんな名まえをこしらえあげることも気がとがめた。

「ダニエル・ドゥ・フォンタナン」と彼は言った。

彼女は返事をしなかった。だが、はっとしたようにとびあがった。彼は、女がよろけたように思った。そして、ささえてやろうとした。すると女は、避けるような身ぶりをした。それを見るなり、彼は、女をむりやり押さえつけてやりたいと思った。彼は、近づいて腕を取ろうとした。女は横にとびのいて、つかまえられかけたのをみごとにはずした。そして、急に向きを変えて、ひとつの横町にはいって行った。彼は女がじょうだんをしているのだと思って、自分もその手にのってやった。だが、女は、本気で逃げだしているらしかった。女は、歩度を速めて歩いていた。駆けださなければ、距離はますますひらくばかりだった。彼はおもしろがっていた。人っ子ひとり見えない町をこうして急いで行くところは、まるで女をつけてでもいるようだった。だが、少し疲れてきた彼は、女が、ちょうどひとつの暗い町――道がまわっているため、ふたりとも、もときたところへあともどりするようになっているひとつの町へはいって行こうとするのを見て、女を引きとめてやろうとした。そして、三度めに、腕をつかもうとした。ところが女は、またもや彼から逃げだした。「ばかばかしい」と、じれったそうに彼は言った。「いいかげんにしたらどうだい！」

女は、暗いところを求めながら、本気で彼をまこうというかのように、たえず歩道から歩道へうつりながら、ますます逃げつづけていた。女はたちまち駆けだした。彼は、さっと身をおどらし、たちまち女に追いつくと、そこにあった家の戸口へ、ぐっと彼女を押しつけた。そのとき、彼は、女の顔のうえ、いつわりとも見えない恐怖の表情を見てとった。

「どうしたんだ！」

女は息を切らし、ひんやりした片すみに身をちぢめながら、そのおろおろした眼差しを、じっと彼のうえにそそいでいた。彼はちょっと考えてみた。はっきりとはわからなかった。しかし女が、何か重大なことを思い浮かべたにちがいないことだけは受け取れた。彼は、女を引き寄せようとした。だが女は、いかにもおそろしいといったそぶりで身を振りほどき、そのいきおいで、スカートのすそを裂いてしまった。

「どうしたんだ？」と、彼は、ひと足あとへさがりながらくり返した。「ぼくがこわい？　気分でも悪い？」神経質なふるえのため、女には、ただのひとことも口がきけなかった。そして、彼をじっと見つめていた。

彼には、相変わらず、なんのことだかわからなかった。それでいて、女がふびんに思われた。

「では、このままきみをおいていくことにしようか？」と、彼は言った。

女は、どうか、といったようすをして見せた。彼には、自分が、とてもまのぬけた男になりそうな気持ちがした。

「ほんと？　では、行っちゃったほうがいいんだね？」と、彼は、迷子をなつかせようとするかのような、やさしい声でくり返した。

「ええ！」と、女は、ほとんど無愛想なちょうしで言った。

女は、たしかに、お芝居をやっているのではなかった。

彼は、このうえしつこくすることが、いかに野暮であるかを考えた。そして、すっぱり彼女のことをあきらめ、あか抜けのしたやり方を見せてやろうと決心した。

「よかろう」と、彼は言った。「だが、こんな夜ふけ、こんな戸口のくぼみに、ほっとくわけにもいくまいし！　少し歩いて、車を見つけることにしよう。そして、ぼくはさよならをする……ね？」

ふたりは、黙ったまま、あかるく灯火の見えているオペラ座通りのほうへ向かって歩いて行った。だが、そこまで行かないずっと手前のところで、一台の流し車の来るのに出会った。合図をすると、車はすぐに歩道にそってつけられた。リネットは、強情に目を伏せていた。ダニエルは、車のドアをあけてやった。女は、ステップに足をかけてから、心をきめて彼のほうへ顔を向けた。そして、も一度見ずにはいられないといったように、ダニエルの顔をじっとみつめた。彼は、つとめて微笑してみせようとした。そして、帽子をぬぎ、つとめて友人として別れるときの態度をしめしてやろうとした。いっしょに乗らないとはっきりわかったとき、女の顔からは緊張がゆるんだ。女は、運転手に行く先を知らせた。それから、ダニエルのほうをむいてわびるように言った。

「許してね。ダニエルさん、今夜は帰らしていただきたいの。あした、そのわけをお聞かせするわ」

「では、またあした」と、彼は、頭をさげながら言った。「でも、どこで？」

「そう、どこにしようかしら？」と、彼女は無邪気にくり返した。「ジュジュおばさんのところはどう？　そう、ジュジュおばさんのところがいいわ。三時に」

「では、三時に」

彼は、手を出した。彼女のほうでも手を出した。彼は、手袋をはめた女の指先にキスをした。

車は動きだした。

そのときはじめて、ダニエルは怒りにからだをふるわせた。だが、女のはでな半身が車の外へ乗りだし、きっぱり運転手をとめているのを見たとき、はやくもみずからをおさえていた。

彼は、さっとドアのところへ駆けよった。リネットは、すでにドアをあけていた。クッションの奥に身をすさらせていた。その目は、やみの中にひらかれていた。彼はすべてを見てとった。そして、女のそばへとび乗った。女をしっかり抱いてやると、女は唇を押しあてて来た。そして彼には、女が、弱さやおそれの気持ちからではなしに、自分をまかせているのを感じた。女は、すすり泣いていた——絶望したかのように——そして、何かききとれない言葉をつぶやいた。

「あたし……あたし……」

ダニエルは、それを聞いてぎょっとした。

「あたし……あなたの……赤ちゃんがほしいの！」

「じゃあ、おんなじところへ行きますかい？」と、運転手がたずねた。

三

ジャックやその友人たちと別れたアントワーヌは、車をパッシーへ走らせていた。そこに《見てやらなければならない肺炎患者》がいたからだった。それがすむと、彼はユニヴェルシテ町の父の家へ向かった。彼は、その階下の住まいに、もう五年以来、弟といっしょに住んでいた。家へ向かう車の中で、彼はタバコをくわえながら、あの小さい患者もずいぶんよくなったな、これで医者としてのきょう一日の仕事も終わって、なんともいえないいい気持ちだな、と思っていた。

《正直なところ、ゆうべはたしかに確信がなかった。一般に、痰があんなに急にとまったときは……Pulsus bonus, urina bona, sed æger moritur（脈搏良好、尿良好なれど患者死を免れざることあり）……あとは心臓内膜炎だけを用心すれば……母親も、まだなかなか美人だ……そういえば、きょうの夕方、パリもなかなか美しい……》通りすがりに、彼はトロカデロの青葉に目をそそいだ。そして、おりから小道の中にはいろうとしている一組の男女の姿を目で追おうとして、ふり返った。エッフェル塔も、橋の大理石像も、セーヌ川も、すべてばら色に染まっていた。《わが胸のうち……ナ・ナ・ナ……》ぶるんぶるんいうモーターのうなりが、彼の歌を助けてくれていた。《わが胸のうち……眠れるは》彼は、とつぜん言った。《そうだ。〈わが胸のうち、眠れるは、ナ・ナ・ナ……〉歌の文句の思いだせないのはじれったいな。ところで、わが胸のうちに、いったいなにが眠っているんだろう？〈眠れるは豚なり〉か？》と、彼は微笑しながら考えた。彼の考えは、彼を、ふたたびパクメルのところの集まりの、その楽しい予想のほうへさそっていった。なにか粋なできごとでも？……彼にとっては、生きていることが楽しかった。そして、さも潜在する欲情にそそり立てられてでもいるようだった。彼は、タバコを捨て、両足を組み、ふかく息を吸い込んだ。そこには、車のスピードのおかげで、なにかさわやかなものが感じられていた。《ブランのやつ、子供に吸い玉をつけるのを忘れずにいてくれるといいが。いよいよあの子も助かったぞ——しかも手術なんかせずに。ロワジーユのつらが見たいや。外科のやつら！はやってはいる。だが、フンだ！けっきょくやつらは軽業師だ。ブラック先生も言っておられた。〈わしに息子が三人あったら、一番だめなやつには「産科をやれ」と言う。一番活発なやつには「メスをとれ」と言う。そして、三人の中で一番賢いやつには「内科をやれ、患者をたくさん手がけて、だんだんその道をきわめてゆけ！」と〉》彼は、またもやうれしくなってきた。自分の力量の底の底まで、なんともうれしくてたまらなかった。《うまい方針を立てたもんだな》と、低い声でつぶやいた。

わが家にはいって行ったとき、ジャックの部屋のドアのあいているのを見た彼は、弟が試験に合格したことを思いだした。五年にわたる細心な注意や心づかいが、ついに今日の成功をもたらしたのだ。

《おれははっきりおぼえている、あのエコール町でファヴリに会い、そこではじめて、ジャックに高《ノル》師《マル》の試験を受けさせようと考えついた午後のことを。スクワール・モンジュは、雪で白かった。そして、きょうより少し寒かった》と、彼はためいきをつくように言った。彼は、冷水浴をつかうときの快感のことを考えていた。そして、子供らしいいらだたしさで、たちまちその場に着物をぬぎすてた。灌水《かんすい》を浴びおわった彼は、生まれかわったような気持ちになっていた。彼は、パクメルの家のことを思いながら、愉快そうに口笛を吹いていた。彼のよぶ《女》なるものは、彼の生活の中で、第二義的の位置しかあたえられていなかった。センチメンタルな恋愛にいたっては、彼はまったくみとめてさえもいなかった。彼は、いつでもお手軽な交渉だけに満足していた。そのほうをより《実用的》だとして、むしろ得意にさえ思っていた。しかも、特別な晩は例外として、かなりみごとに、そうしたことにも打ち勝っていた。それは、戒律とか、生理的無感覚とかによるものではなかった。それは、《それらすべて》が、彼自身思いさだめている生活と、ちがった種類の生活に属しているからのことだった。彼は、そうしたことにたいする執着を、ひとつの弱点として考えていた。この自分こそは、ひとりの《強者》にほかならないのだ。

ジリン！　ベルが鳴った。彼は置き時計のほうへ目をやった。必要とあったら、パクメルのところへ出かけるまえに、患者のひとりぐらいは診察できる。

「どなた？」彼は、ドアの向こうへこうどなった。

「わたくしでございます」

その声で、彼にはシャール氏だということがわかった。彼は、ドアをあけてやった。チボー氏がメーゾン・ラフィットへ行っていて留守のあいだも、秘書のシャール氏は、ずっとユニヴェルシテ町の家で仕事をつづけていた。

「おいでになりましたか？」と、シャール氏は機械的に言った。そして、パンツひとつのアントワーヌの姿におそれをなして、向こうをむきながら、問いかけるようなちょうしで「おや？」と、つぶやいた。「ははあ、お召し替えですな」彼は、なぞが解けたとでもいったように指をぴんと立てて見せながら、ときをうつさずにそう言った。

「おじゃまではございませんでしょうか？」

「二十五分すると出かけなければならないんだ」と、アントワーヌは、いそいで言った。

「いや、じゅうぶんすぎるほどでございます。若先生、ちょっとごらんくださいまし」彼は、帽子を下におき、眼鏡をはずして、目をむいてみせた。「なにかお見えになりませんか？」

「どこさ？」

「目の中でございます」

「どっちの？」

「こちらの」

「じっとしていたまえ。なにも見えないがなあ。たぶん風があたったんだろう？」

「なるほど、それにちがいございません！　いや、ありがとうございました。なんのことはない、目に風があたっただけでございますな……両方の窓をあけっ放しにしておいたんでございます」彼は、せきをした。そして、またもとのように眼鏡をかけた。「ありがとうございました。これで安心しました。風があたったんでございますな。よくあることでして、たいしたことではございません」彼は、ちょっと笑ってみせたあとで言葉をつづけた。「たいしておじゃませずにすみました」だが、彼は、帽子を手にするかわりに、椅子のはしに腰をかけ、ハンケチをとり出してひたいをふいた。

「暑いね」と、アントワーヌが言った。

「まったくでございます!」と、相手は、いじわるそうに、まぶたにしわをよせながら答えた。「まったくの夕立模様でございます。かわいそうなのは、あちこち走り歩かなければならない人たち、いろいろ仕事をもった人たちでございますな」

靴のひもを結んでいたアントワーヌが、顔を上げた。

「仕事って?」

「なにしろ、この暑さでございますから! 事務所や、警察署なんか、息がつまるようでございますよ。そんなわけで、何から何まであとまわしにいたしますんで」と、彼は、わけ知りらしいようすで首を振りながら結論をくだした。

アントワーヌは、顔を上げたままだった。

「ときに」と、シャール氏が言った。「よほどまえからおたずねしようと思っていたのでございますが、あなた、養老院と申すところをご存じですか?」

「養老院？」

「そうなんでございますよ。老人のための。病人のほうのではございません。ポワン・デュ・ジュールにある収容所でございます。空気ときたら、まったく申し分なしというわけでして。そうそう、そのお話の出たついでに、ねえ若先生、もうひとつおたずねしたいことがございますんで。あなたはいつか、人の忘れていた五フラン銀貨をおみつけになったことはございませんか？」

「人の忘れていた？……ポケットの中にかい？」

「いいえ。公園の中、つまり往来といったようなところに？」

アントワーヌは、立ったまま、ズボンを手にして、じっとシャール氏をみつめていた。そして《こいつといっしょにいると、自分までがばかになったような気持ちになる》と、考えていた。彼は、つとめて注意しているようなふりをした。そして、もっともらしいようすでこう言った。

「ぼくにはどうも、きみのおたずねの意味がわからないがね」

「こういうわけでございます。たとえば、世の中には、何か物をなくす人がたくさんおります。ところが、いっぽうでは、その物をみつける人だっているわけでございましょう？」

「もちろん」

「ところで、偶然、あなたが何かおみつけになったといたします。あなたはそれをどうなさいます？」

「持ち主をさがすね」

「でございましょう？　ところが、そこに誰もいなかったといたしましたら？」

「どこに？」

「たとえば、公園なり、往来なりに」

「そのときは……警察へ届けにゆくね」

シャール氏は、唇のはしに微笑を浮かべた。

「でも、それが金だったときはどうなさいます？　たとえば五フラン銀貨だったりしましたときは？　ああしたやつらが、それをどう処分するか、わかりすぎるくらいわかっておりますからな！」

「巡査がねこばばをするとでもいうのかね？」

「もちろんでございます！」

「じょうだんじゃない。まず第一に、手続きとか、書類とかいうものがあるじゃないか。早い話が、ぼくはある日、友だちといっしょに、つじ馬車の中で子供のおしゃぶりを見つけた。象牙と赤《ヴェルメイユ》玉の、とてもきれいなやつだった。ところが、警察では、友人の名まえ、ぼくの名まえ、御者の名まえ、われわれの住所、馬車の番号などを書きとめた。そして、ぼくたちに、届け出に署名させ、規定どおりの受領証を渡してくれた。驚いたかね？　しかも一年すると、友人のところへ知らせがあって、誰もおしゃぶりを取りに来たものがなかった、受け取りにくるようにということだった」

「でも、おしゃぶりなんか？」

「そういう規則なんだ。もし拾い物にたいして誰も申しでるものがなかったときは、それは一年と一日の後、当然のこととして拾得者のものになる」

「一年と一日？　拾得者のものに？」

「そうなんだ」

シャール氏は、肩をすくめてみせた。

「なるほど、たかがおしゃぶりでしたら。でも、もしそれが紙幣だったらいかがでしょう……たとえば五十フランの紙幣でしたら……」

「おんなじことさ」

「おんなじことだとは思いませんな」

「ぼくはたしかにそう思うよ」

ねずみ色の髪をしたこの小男は、ちょこんと椅子の上に腰かけながら、眼鏡の上からじっとアントワーヌをみつめていた。それから、彼は目をそらし、口に手をあててせきをしたあとでこう言った。

「こんなことをおたずねいたしましたのも、じつは母のためなんでございまして」

「お母さんが金をみつけたとでもいうのかね？」

「え？」と、シャール氏は、椅子の上でからだを動かしながら言った、彼はまっかになっていた。そして一瞬、顔のうえに、きわめて苦しそうな動揺の色を浮かべた。だが、ほとんどすぐに、彼はじょさいなさそうな微笑を浮かべた。「いいえ、養老院なんでございますよ」そして、アントワーヌが上着を着かけているのを見ると、椅子から飛びおりて、そで口に腕を通すてつだいをした。「ドーヴアー横断！」（フランス語でドーヴァー海峡を意味する《マンシュ》は、《そで》の意に通ず。ブレリオが初めて飛行機で横断したのをもじったもの）と、彼はもじって言った。そして、アントワーヌの背中にまわったのをさいわい、口早に、アントワーヌの耳にささやいた。

「困ったことには、九千フラン出せと言うんでございまして。それに、こまごました雑費を入れますと一万フラン。しかも、その一万フランが前金なんでございますよ。ちゃんと刷り物になっております。しかも、はいったかと思うと、すぐ出たいなんて言われましては」

「出るって？」と、アントワーヌはふりむきながら言った。そして、なんの話かわからなくなってきたのに当惑していた。

「ええ、ええ、きっと三週間だっておりませんな！　それを、わざわざやってみることがございましょうか？　ばあさん、今年《とし》取って七十七でございます。家にいても、このさき一万フランつかうだけ、どうして生きていられましょう！　ねえ？」

「七十七？」と、アントワーヌがくり返した。そして、われにもあらず、不吉な計算をこころみた。

彼はもう、時間のことなど忘れてしまっていた。《ちょっとほかに注意を移すと、そこにはもう別の患者がいる》と、彼は思った。（職業上の習慣にもかかわらず、いつも自分自身に注意力を集中することのできていた彼は、注意を他人の上に向けるやいなや、いかにも移すといった気持ちがするのだった。）《このばかにしても、ひとりの患者にほかならない》と、彼は思った。《患者シャール》だ。

彼は、自分がはじめてこの男に会ったときのことを思いだした。塾の司祭たちのすすめで、父は、シャール氏を、復習相手といった意味でいっしょにつれて行ったのだった。そして、休暇が明けたとき、彼のきちょうめんなのにほれ込んで、自分の秘書にしたのだった。《もう十八年も、ほとんど毎日この男と会っている。だが、おれにはなにひとつつかめない……》

「母は、じっにみあげた女でございます」と、シャール氏は、彼のほうなど見もせずに言葉をつづけた。「宅の者はみんななさけないやつらだなどとお考えになりませんように。なるほど、わたくしなどはそうでございましょう。しかし、母はまったく別でして。あれは、ああしたみじめな生活でなく、ぜいたくな生活をするために生まれてきた女でございます。しかし、あのサン・ロックの神父さまがたは——あのかたたちは、てまえどもの家と懇意にしていてくださいます。それにお父さまのお名まえをよくご存じの司祭さんにしても——いつも《人に苦しみはつきもの》だとおっしゃっておいでになります。まさにそのとおりでございますな。もちろん、このわたくしは、それにいなやは申しません。とんでもない。……でも、もしそれがたしかな話だったらのことでございまして！……一万フラン……それだけで、あとは心配なしということでしたら！……ところがばあさん、とてもはいっていてはくれますまい。そして、金も返してはもらえますまい。ちゃんと警戒しておりますからな！はいるときに、いろんな書類、印紙を張った書類の上に、ご規則どおりの誓約というやつを書かせられます。さっきお話しのあった警察でやるのとおんなじでして。ただし、こっちのほうは、それほどお人好しではなく、一年たっても、何も言ってはまいりません。びた一文も返しません。びた一文も！」彼は、嘲笑するようにくり返した。そして、ちょうしを変えずに、「ところで、お友だちのかたはどうなさいました？　受け取りにお出かけになりましたか？」

「象牙のおしゃぶりをかい？　じょうだんじゃない」

シャール氏は、考えこんだようすをしていた。

「なるほど、たかがおしゃぶりでしたら。……でも、金だった場合はいかがでしょう！　往来で銭を落としたやつらは、すぐさまパリ中の警察へ駆けつけ、届け出がないかとたずねますな！　しかも、落とした金額以上を申しでるようなやつさえおります。しかも、何の証拠がございましょう？」アントワーヌは答えなかった。シャール氏は、執拗に彼を見まもっていた。そして、嘲笑するようにくり返した。「証拠といって何がございましょう？　え？」

「証拠だと？」と、アントワーヌは、いらいらしながら言った。「いろいろこまかい点を申し立てたらいいんじゃないか。その金をどんなふうにして落としたか、紙幣だったかこまかいやつだったか、それともまた……」

「いいえ、そんなことなど！」と、シャール氏は、はげしく言葉をさえぎった。「紙幣だか、こまかいのだか、そんなことなどはたずねませんな！　なるほど細かい点については……それはたずねもいたしましょう。しかし、金については！」彼は、放心したようすで、幾度となく「そんなことなど……そんなことなど……」と、くり返した。

アントワーヌは、置き時計のほうへ目をやった。

「さ、追いたてるわけではないが、ぼくは出かけなければならないんだ」

シャール氏は飛びあがった。そして、そのままへたへたとすわりこんだ。

「若先生、ありがとうございました。ご診察いただけまして。さっそくもどって湿布をいたします……そして、耳に少し綿をつめましょう。たいしたこともございますまい」

アントワーヌは、この小男が、みがきあげた玄関のゆか板の上を、まるで踊るようにして歩いて行くのを見ながら、微笑せずにはいられなかった。シャール氏の靴は、いつも音を立てて鳴るのだった。それが、彼に、この世においてのひとつの大きな苦労だった。彼は、靴屋という靴屋に相談した。ありとあらゆる形の胴皮や下皮、いろいろな種類の靴底、あるいは皮のやつ、あるいはフェルトのやつ、あるいはゴムのやつをためしてみた。足の医者にも見てもらった。また、臨時雇いのゆかみがきの男にすすめられて、ボーイや召使い専用の《音なし靴》という、ゴム靴もはいてみた。だが、すべて、なんにもならなかった。それからというもの、彼はいつもつまさきで歩くことにしていた。つぶらな目をした小さな顔といい、アルパカのモーニングのすそをびらびらさせているところといい、彼はまさに、羽根を切られたかささぎそっくりといったかっこうだった。

「あ、すっかり忘れておりました!」と、戸口まで行ってシャール氏が言った。「もうどの店もすっかりしまりましたな。あなた、小銭をお持ちになりませんでしょうか?」

「どのくらい?」

「千フラン」

「やれやれ」と、アントワーヌはひき出しをあけに行きながら、言った。

「大金は持ち歩きたくないのでございまして」と、シャール氏は説明した。「いましがた、金を落としたお話をうかがいましたので……百フランで十枚いかがでしょう？　でなければ、五十フランで二十枚？　かさ高であればあるだけ、落とすおそれも少ないでございましょうから。せめて」

「だめだね。五百フラン二枚あるきりだ」と言って、アントワーヌはひき出しをしめようとした。

「それだけでもけっこう」と、シャール氏は、前へ進みながら言った。「それだけでも大ちがい」彼は、モーニングの内隠しから取りだした一枚の紙幣をアントワーヌの前にさし出した。そして、代わりの二枚をしまい込もうとしたとき、入口のベルが鳴りわたった。そのけたたましさに、ふたりは思わず飛びあがった。そして、金をまだ隠しおわらずにいたシャール氏は、「しばらく……しばらく」と、どもりながら言った。

それが、自分の家の家番の声とわかったとき、彼の顔の緊張がゆるんだ。家番は、こぶしでドアをたたきながら、金切り声でさけんでいた。

「シャールさんおいででしょうか？」

アントワーヌは、走りよってドアをあけた。

「いらっしゃいますか？」と、家番は息を切らしながらさけんだ。「早く！　とんだことが起こりました！　娘さんがひかれました」

シャール氏の耳にそれが聞こえた。彼は、よろめいた。おりよく、アントワーヌがもどってきて彼をだきとめた。そして、下に寝かせてやり、顔をぬれたタオルであおいでやった。シャール氏は目をあけた。そして、起きあがろうとした。

なかった。


「旦那」と、家番が言った。「すぐおいでなすって。車を持って来ていますから」

「死んだのかね?」と、アントワーヌがたずねた。彼は、その少女が何者なのか、考えてさえもいなかった。

「もうちょっとというところでした」相手は、つぶやくようにそう答えた。

アントワーヌは、危急の場合のため、いつも整えておいた往診用の手まわり一式を棚の上から取りおろした。そして、ジャックにヨードチンキのびんを貸してあったことを思いだし、その部屋へ飛びこんで行きながら、家番の男に向かってどなった。

「その人をつれてってください。そして、待っててくれたまえ。ぼくもすぐ行くから」

テュイルリー公園の近く、アルジェ町にあるシャール氏の家の前に車がとまったとき、アントワーヌは、家番のしどろもどろの説明では、まだ事の真相をはっきりつかめずにいた。少女というのは、毎日シャール氏を迎えにやってくる少女のことだった。その夕方、シャール氏がなかなか帰ってこないので、少女は、あるいはリヴォリ町を横切ろうとでもしたのだろうか。彼女は、一台の貨物配達の三輪車につき倒された。そして車にからだをひかれてしまった。人だかりを見て近寄って行った新聞売りのおばさんは、おさげの髪に見おぼえがあって、少女の家を教えてやれた。家へつれて来られたとき、少女はすでに意識を失っていた。

シャール氏は、車の奥にがっくりからだを折りまげてはいたが、けっして泣いてはいなかった。だが、新しい事実を聞かされるにつれ、波のうねるようなすすり泣きの声をたてていた。そして、それをおさえようと、口にこぶしをあてていた。

家の入口には、まだ人だかりが去らずにいた。人々は、シャール氏を通してやるために道をひらいた。アントワーヌと家番は、彼を、階段の一番上の階までささえて行ってやらなければならなかった。廊下のはずれに、ひとつのドアが大きくひらかれていた。シャール氏は、足をがくがくさせながらその中へよろめき込んだ。家番は、アントワーヌを通してやりながら、その腕に手をかけてこう言った。

「うちの女房のやつ、気をきかして、いつもすぐそばのレストランで食事をなさるお医者さんを呼びに行きました。うまくつかまってくれるとよろしいですが」

アントワーヌは、うなずいてみせた。そして、シャール氏のあとにつづいてはいって行った。ふたりは、しめった戸棚のにおいのする、物干し室とでもいったようなところを通りぬけた。それから、低い、タイル張りの、ほとんどまっ暗なふたつの室を通りぬけた。中庭に向かっては、いくつか窓があいていたが、まるで息がつまりそうだった。最後の部屋まで行くと、アントワーヌは、黒ずんだ蠟びきクロースの上に、四人まえの食器のならべられた丸テーブルのまわりをまわらなければならなかった。ドアをあけ、明るく照らされた部屋の中へはいって行ったシャール氏は、ほとんどすぐ、へたへたとして、どもるようにこう言った。

「デデット……デデット……」

「ジュール！」と、きびしい金切り声がきこえた。

アントワーヌの目には、最初、桃色のペニョワールを着た女が両手でささげているランプだけしか見えなかった。褐色をした女の髪、そのひたい、その胸など、すべてが光の中に輝いていた。やがて彼には、その女の照らしだしているベッドが見わけられた。ベッドの上には、いくつかの影がのぞき込んでいた。まだ窓からさしこんでいるたそがれの光は、ランプの光の中にとけ込んでいた。そして、部屋全体が薄明かりの中におぼれ、そこにあるすべてのものは、何かしら現実ばなれのしたもののように見えていた。アントワーヌは、手をかして、シャール氏を椅子にかけさせてやった。それから、ベッドのほうへ歩みよった。鼻眼鏡をかけたひとりの青年が、からだを折りまげ、帽子もかぶったまま、少女の血だらけな着物をはさみで切りさいていた。少女の顔は、まくらの上にねかされ、血のこびりついた髪の毛の中に、それとうかがわれるばかりだった。ひとりの老婆が、ひざまずいて、医者のてつだいをやっていた。

「息をしていますか?」と、アントワーヌがたずねた。

医者はふり返った。そして、彼を見ると、ちょっとためらい、サッとひたいをぬぐったあとで、確信なさそうなちょうしで答えた。

「ええ……」

「迎えの人が見えたとき、ちょうどシャールさんが来ていましてね」と、アントワーヌは説明した。「そして、応急手当に必要なものを持ってきました。ドクトル・チボーです」と、彼は低い声でつけ加えた。「小児科病院の部長です」

相手の医者は立ちあがった。そして、席をゆずろうとして身を動かした。

「そのまま、そのまま」と、アントワーヌは、ひと足うしろにさがりながら言った。「脈は？」

「ほとんど感じません」と、相手の医者は、急いで仕事に取りかかりながら答えた。

アントワーヌは、目を上げて、褐色の髪をした若い女のほうを見た。そして、その心配そうな眼差しに行き合うと、こう言った。

「一番いいのは、病院自動車に電話をかけて、お子さんをすぐわたしの病院に運ぶことですが？」

「おことわりいたしますよ」と、誰かきっぱりした声で答えた。

そしてアントワーヌには、ベッドのまくらもとに立った——たしかに祖母にちがいないと思われるひとりの老婆の姿が目にはいった。老婆は、水のように澄んだ百姓女らしい眼差しで、じっと彼のほうを見つめていた。とがった鼻、意志の強そうな顔の線、それが脂肪の海にただよっていて、その最後の波は、首筋のあたりでしわをつくっていた。

「わたしたちは、たしかに貧乏人に見えますでしょうよ」と、老婆は、捨てばちとでもいったようなちょうしでつづけた。「でもねえ、わたしたちは、めいめい自分のベッドで死んで行きたいんでございますよ。デデットを病院へやるなんて、まっぴらごめんこうむりますよ」

「なぜそんなことをおっしゃいます？」と、アントワーヌが言いはった。

老婆は、あごをつき出した。そして悲しげな、だが、がんとしてゆずらないちょうしで、

「わたし、そのほうが好きでございますから！」

アントワーヌは、若いほうの女を目でさがした。女は、灯火《ともしび》に照らされた顔の上に執念ぶかくとま

ろうとしている蠅を追いはらいつづけていた。そして、べつに意見も持ち合わせていそうになかった。そこで彼は、シャール氏の意見を聞いてみようとした。シャール氏は、さっきアントワーヌが掛けさせてやろうとした椅子の足もとにひざまずき、まげた両腕の中に頭をかかえて、何も聞くまい、何も見まいとしていた。アントワーヌの一挙一動を見張っていた老婆は、そのおもわくを見てとると、先手を打ってこう言った。

「そうだろう、ジュル?」

シャール氏はふるえあがった。

「そうですとも、お母さん」

老婆は、満足らしいようすだった。そして、母親らしいちょうしで言葉をつづけた。

「ここにいないで、おまえさんの部屋へ行ったがいいよ」

シャール氏は、青ざめたひたいを上げた。目は、眼鏡のうしろできょろきょろ動いていた。彼は、言いあらそおうともせずに立ちあがった。そして、つまさき歩きで出て行った。

アントワーヌは、ざんねんそうに唇をかんでいた。そして、このうえやればけんかになると思った彼は、すばやく上着をぬぎすて、シャツのそでで口をひじまでくり上げ、それから、ベッドのすそへ行ってひざまずいた。彼は、ほとんどいつも、考えると同時に、行動に取りかかるのを例とした。彼は、ひとつの問題の性質を長いこと秤量《ひょうりょう》していることがそれほどまでに不得手であり、それにまた、一刻も早く決心をつけずにはいられない性質だった。彼にとっては、あやまちをおかさないことよりも、敏速果敢に決心をきめることのほうが重要だった。考えるということ、彼にはそれが、たとい早まりすぎることはあったにしても、行為に取りかかるためのひとつの段階にすぎなかった。

彼は、相手の医者と、ふるえているもうひとりの老婆にてつだってもらって、少女の着物をすっかりぬがせた。と、きわめて青い、ほとんどねずみ色のみすぼらしい裸体があらわれた。少女は、ずいぶんひどく三輪車にひっくりかえされたらしかった。からだじゅうに、皮下溢血が見られていた。そして、腰からひざにかけて、どす黒い線が斜めに走っていた。

「右でございます」と、相手の医者が言った。まさに右足が、曲がって内側のほうへ折れこんでいた。そして、血だらけの足は、形が変わり、短くなりでもしたようだった。

「大腿部骨折ではありますまいか？」と、医者がたずねた。

アントワーヌは答えなかった。彼は考えこんでいた。《少女は、とてもはげしい衝撃をうけている》と、彼は思った。《これは確かにほかのものがある。ほかのもの、だが、それはなんだろう？》

彼は、膝蓋骨にさわってみた。つづいて、彼の指は、大腿にそってゆっくりあがっていった。するとたちまち、ひざから数センチ上のあたり、ももの内側にある目に見えないほどの傷口から、さっとひとすじの血がほとばしった。

「あっ！」と、彼はさけんだ。

「大腿部骨折でしょうか？」と、相手の医者がさけんだ。

アントワーヌは、あわただしく立ちあがっていた。

彼はいま、自分ひとりで決定しなければならないことになって、力にあふれていた。そして彼は、ほかの人たちの前にいるとき、いつも力についての確信が興奮せずにはいないのだった。《外科医にかけるかな？》と、彼は心の中でたずねてみた。《だめだ。病院へ行くまでに死んでしまう。では誰がやる？　おれがか？　どうしていけない？　ほかに方法がないじゃないか？》

「おしばりになりますか？」アントワーヌが黙りこんでいるのにこまって、相手の医者がたずねた。だが、アントワーヌは、答えようとしなかった。《そうだ》と、彼は思った。《しかも、一刻もぐずぐずしてはいられない。ことによると、もう手おくれかもしれない！》彼は、鋭い目であたりを見まわした。《しばる。だが、なんでしばったものか？　あの褐色の髪をした女は帯をしていない。窓掛けにもしめひもがない。なにかゴムひもでも？　あ、あった！》彼は、またたくまにチョッキをぬぎ、ズボンつりをはずし、それをびりびり引きちぎった。そして、ふたたびひざまずき、それを圧血帯にして、ものものつけ根をしめあげた。

「これでよし。ちょっと息をつきましょう」そう言いながら、彼は立ちあがった。頬にそって、汗が流れていた。彼は、みんなの目が、自分にそそがれているのを感じていた。「すぐ手術しないと助かりません」彼はきっぱりした声で言った。「やってみましょう」

みんなは、たちまちベッドのそばをはなれた。ランプを持った女も。それに、どぎまぎしている相手の若いドクトルまで。

アントワーヌは、歯を食いしばっていた。そして、緊張した、殺気をおびた彼の眼差しは、すっかり心の中へふり向けられてでもいるようだった。《さあ》と、彼は考えた。《落ちつくんだ。テーブルは、と？　そう、はいって来るときに見たあの円いやつ》

「明かりを見せてください」と、彼は若い女に向かって言った。「そして、あなたにも来ていただきます」と、彼は若いドクトルに言った。彼は、急ぎ足で隣の部屋へはいって行った。《よし》と、彼は思った。《ここを手術室にする》彼は、そこにあった食器をさっとかたづけ、皿を高く積みあげた。《ここにランプをおく》と、彼は思った。彼は、家じゅうを、まるで練兵場とでもいったようにとり扱った。《さ、今度は娘だ》彼は、部屋へもどって行った。医者と若い女とは、何から何まで彼のするとおりになって、彼のあとについて行った。彼は、医者に向かって少女のほうを指してみせた。

「ぼくがかかえて行きます。たいして重くもないですから。あなたは足のほうを持ってください」

彼は、少女の腰の下に腕を入れた。少女は低いうめき声を立てた。彼は、少女をテーブルの上まで運んで行った。それから、褐色の髪の女の手からランプを受けとると、かさをはずし、それを、皿をつみあげた上においた。《どうだ、おれもなかなかやるだろう》彼は、あたりを見まわしながら、こう考えるだけのゆとりを持っていた。ぽっと赤らんだやみの中に、ランプは大きな炉の火のように輝いていた。やみの中からは、赤々とした若い女の顔と、相手のドクトルの鼻眼鏡が浮きあがっていた。あからさまなランプの光は、ときどき手足をふるわせる少女のからだを照らしていた。部屋の中には、夕立模様の天候のため、たくさんの虫が群れていた。アントワーヌは、暑さと不安とでぐっしょり汗をかいていた。《手術がすむまで生きているだろうか？》と、彼はたずねてみた。だが、彼はいま、自分にも何かわからないひとつの力に押しあげられていた。いままでかつてないほどの自信だった。

彼は、道具かばんを手にした。そして、その中から、クロロフォルムのびんとガーゼを出すと、それを相手のドクトルに渡した。

「どこかにあけておいてください。食器戸棚の上あたりに。ミシンをおろしたらいいでしょう。すっかり出してください」

そして、びんを手にしながらふり向いた彼は、暗い戸口のところに人影を見つけた。それは、身動きもせずに立っているふたりの老婆だった。ひとりはシャールの母親。大きな目を、まるでふくろうのように見すえていた。ほかのひとりは、両手を合わせて、それを口へ押しあてていた。

「あっちへ行っててください！」と、彼は命令した。そして、老婆たちが、あとずさりしながら、ベッドのおいてある部屋のかげのほうへ行こうとするのを見ると、反対のほうを指さしながら「ちがう！……むこうへ。こっちから！」彼女たちは、言われるとおりにした。そして、なにひとことといわず、部屋を通って出て行った。

「あなたはここにいてください！」と彼は、老婆たちのあとについて出て行きかけた褐色の髪の女に、いらいらしたようすでさけんだ。

彼女は、くるりとこちらを向いた。一瞬、彼はじっと女の顔をながめた。いささかぼてぼてしてはいるが、美しい顔だちをした女。しかもそれは明らかに、悲しみによって気高い顔になっていた。落ちついた、成熟した表情、それが彼には気に入った。われにもあらず彼はこう思った。《きのどく

に！　だが、どうしても手をかしてもらわなければ》

「お母さんでいらっしゃいますか？」と、彼はたずねた。彼女は、首を横に振った。

「いいえ」

「けっこう」そう言いながら、彼はガーゼをしめし、それを手早く少女の鼻の上にひろげた。「さ、そこへおかけになって、そして、これを持って」と、彼は、びんを渡しながら言った。「合図をしますから、そうしたら滴下してください」

クロロフォルムのにおいが、部屋じゅうにひろがった。少女は、うめき声を立て、幾度か深く息を吸いこんだが、やがて口をきかなくなった。

彼は、最後に、もう一度見まわした。準備はすっかりととのっていた。残るは腕の問題だけ。いよいよどたんばの時が来たのだ。不思議なことに、アントワーヌの不安は消えてしまった。彼は、食器戸棚のそばへ歩みよった。そこでは、ドクトルが、道具かばんの中のもの全部を、一枚のふきんの上に並べおわろうとしていた。《さて》彼は、いくらか時をかせごうとするかのように考えた。《道具かばんはあると。よし！　メスにピンセット類。ガーゼの箱もあるし、脱脂綿もよしと！　アルコール、カフェイン、ヨードチンキ、等々。みんなある。さ、かかろう》彼はふたたび、そそり上げられるような気持ちを感じた。行動のもたらす楽しい陶酔、無限の自信。爆発せんばかりに緊張した生活力。そして、それらすべてを立ち越えて、自分がすばらしく大きなものになったというような興奮。

顔を上げた彼は、ちょっとのあいだ、じっと若いドクトルの目をみつめていた。それはさも《腹はすわっておいでですな。あなたとぼくとふたりきりです。仕事はなかなか骨ですぞ》とでも言っているかのようだった。

相手は、たじろぎを見せなかった。そして、先輩にたいする注意をこめて、アントワーヌの一挙一動を見まもっていた。こうなる以上、もはや手術する以外に途のないことがわかっていたのだ。自分だけなら、とてもやってのける勇気がなかった。だが、アントワーヌといっしょだったら、なんでもできそうに思われたのだ。

《ご同業の先生、なかなかいいぞ》と、アントワーヌは思った。《運がよかった。あ、金だらいを。なんだ！　これでもよかった》彼は、ヨードチンキのびんを取って、ひじのところまでそれを塗った。

「あなたも」そう言いながら、彼はそのびんをドクトルに渡してやった。ドクトルは、眼鏡の玉を夢中になってふいていた。

はげしい雷鳴をともなって、つんざくような稲妻が、ぱっと窓を明るくした。

《お祝いの楽隊にしては早すぎるな》と、アントワーヌは思った。《まだメスも手にしていないんだから。あの女は、飛びあがらなかった。これで、いらいらしなくなれるだろう、そして、涼しくもなるだろう。部屋はたしかに三十五度の暑さだ》彼は、湿布をいくつか手にしていた。そして、手術の範囲を局限するため、それを足のぐるりにあてがった。

彼は、若い女のほうをふり向いた。

「クロロフォルムを数滴。けっこう。それでよろしい」

《まるで、戦場での兵士のように言うことをきく！》と、彼は思った。《それにしても、さっきの女どもときたら！》つづいて彼は、はれあがった小さな大腿部を注意してながめながら、つばを飲みこみ、いよいよ、メスを振りかざした。

「さあ」

彼は、的確な動作、切開をはじめた。

「ふきとってください」と、彼は、そばにうつ向きこんでいるドクトルに言った。《なんてやせているんだろう》と、彼は思った。《これならすぐに患部が突きとめられる。や、デデットがいびきをかき出したぞ。よし、急いでやろう。さあ、鈎《こう》だ》「願います」と、彼は言った。相手は、血だらけの脱脂綿を手から放して、鈎を手にして傷口をひらかせた。

アントワーヌは、一瞬手をとめた。《よし》と、彼は思った。《消息子《ゾンデ》？　ここだ。ハンター氏管の中だ。おきまりの緊縛といくことにしよう。うまくいったぞ。ぴかり！　落ちた。たいして遠くではないらしい。ルーヴル宮のあたりかな。それとも、〈サンロックのお友だち〉たちの上かもしれない……》彼は、とても落ちついた気持ちになっていた。少女のこと、死の切迫していること、そんなことなどすっかり忘れてしまっていた。彼は、楽しそうに《ハンター氏管の中での大腿骨緊縛》のことを考えていた。

《ぴかり！　また鳴ったな。しかも、雨はほとんど降っていない。むしむしする。動脈は、ちょうど骨折の高さでやられている。骨の先で破られたんだ。それもたいしたことではない。もっとも、血もたいして出るほどはなかったんだし……》彼は、ちらりと少女のほうをながめた。《うむ……急いでやろう！　たいしたことはない。だが、ぐずぐずしてると死んでしまう……止血鉗子《かんし》だ。そう、もうひとつ。そうれ。ぴかり！　稲光はやりきれない。月並な道具立てといったところか、あいにく平たい絹ひももしか持ってきていない。しかたがない》彼は、チューブをこわし、糸巻きを取りだし、おのおの鉗子の近くをそれでしばった。《これでよし。これで目的を達したわけだ。とりわけこの年ごろの子供だったら、傍系血行だけでじゅうぶんだ。どうだ、このおれのすばらしさは。わが天職の遂行に、どじをふみでもしただろうか？　外科のやつ、堂々たる外科の大家先生の腕まえくらい、ちゃんとこのおれにはそなわったんだ……》しんとした中で、遠ざかってゆく雷鳴のあいだに、絹ひものはしを切るかたいはさみの音だけが聞こえていた。《注意、沈着、果断、腕のさえ……なにからなにまでそなわってるんだ》とつぜん彼は耳を澄ました。そして、さっと顔色が変わった。

「しまった」彼は、低い声でそう言った。

子供は、もう息をしていなかった。

彼は、手荒く女を押しのけ、患者の顔からガーゼをむしり取り、心臓のところに耳を当てた。相手の医者と女とは、アントワーヌをじっと見まもり、どんなようすかとうかがっていた。

「ある！　息をしている」彼は、つぶやくようにそう言った。

彼は手首を握った。だが、いかにも脈が速いので、数えることはあきらめた。「ちえッ」と彼は言った。そして、引きつれていたその顔を、さらにはげしく引きつらせた。てつだっていたふたりには、自分たちのうえを彼の眼差しの通りすぎるのが感じられた。だが、彼は、ふたりを見てなどいなかった。

彼はきっぱりした口調で命じた。

「あなたは鉗子《かんし》をはずして、包帯をしてください。それから駆血帯《くけったい》を取って。早く……あなたは、なにか書くものをください。あ、いらない。手帳があった」彼は、熱に浮かされたかのように、脱脂綿で手をふいた。「何時かしら？　まだ九時にならない。薬屋は起きている。大急ぎで行ってきてください」

女は、彼の前に立っていた。女が、ほとんどそれとわからないようなしぐさでペニョワールの前をかき合わせているのを見た彼は、こうした帯ひろどけの姿で外へ出るのをためらっていることを見て取った。そして一瞬、そうした着物の下にある、豊満な肉体のことを心のなかで想像した。彼は、急いで処方箋を書くと、それに署名した。「一リットル・アンプレ一本。駆けて行ってください、駆けて！」

「あの、もし……？」と、女は口ごもった。

彼は、その顔をじっと見つめた。

「戸をしめていたら」と、彼はさけんだ。「あけるまでベルを鳴らす、戸をたたく！　さ、早く！」

女は、身をひるがえして出て行った。彼は、うつ向いて、女の駆けて出て行くのをたしかめてから、相手のドクトルのほうをふり返った。

「血清をやってみましょう。皮下ではなく。皮下ではだめです、静脈注射を。のるかそるか」彼は、食器戸棚の上から小さなびんをふたつ手にとった。「駆血帯《くけったい》は取れましたか？　よろしい。ずっとカンフルを打ちつづけてください。それに、カフェインもひとつ。半分だけ……さ、急いで」

彼は、少女のそばへもどって来た。そして、彼女のかぼそい手首を握った。もはや何も感じられない。わずかに、せきこんだ顫動《せんどう》だけ。《いよいよ》と、彼は思った。《ぜんぜん脈がわからなくなってきた》一瞬、彼は気が弱くなり、絶望したような感じがした。

「なんていうこった」と、彼はどもるように言った。「万事がうまくいっていながら、それがなんの役にも立たないなんて！」

一刻一刻、少女の顔は青ざめていった。まさに彼女は死にかけていた。アントワーヌは、なかばひらかれた唇のそばに、蜘蛛の糸よりも軽い、ふた筋の細い巻き毛のあるのを見つけた。それが時をおいて高まっていた。息をしている。

《近眼のくせに、そうへたでもない》彼は、注射をしているドクトルを見ながら思った。《だがとても助かるまい》彼は、悲しいというより、むしろくやしかった。彼には、医者らしい無感覚さがあった。医者にとっては、他人の苦しみが、自分にとっての経験なり、利益なり、職業的な興味なりを意味している。彼らは、他人の苦痛や死によって、みずからを豊富にしているというわけなのだ。

ちょうどそのとき、彼は戸口がたたかれたように思った。彼は、帰って来た女を迎えようと飛びだした。それはまさに彼女だった。彼女は、息切れを見せまいとしながら、およぐような足どりで駆けこんで来た。彼は、女の持っていた薬の包みを、奪いとるように取りあげた。

「湯を」と、彼は言った。そして、礼をいうことさえ忘れていた。

「煮たたせますか？」

「いいや、血清をあたためるだけ。大急ぎ」

包みをほどくかほどきおわらないうちに、女はすでに湯気のたったなべをもってきた。彼は、今度は、女の顔を見ずにつぶやくように、

「よし。けっこう」

と言った。

時はせまっていた。彼はすぐさまアンプレの先端を割り、それにゴム管をはめた。壁の上には、木の彫刻のあるスイスできのバロメーターが掛かっていた。彼は、片手でそれを取りのけ、その釘にアンプレを掛けた。ついで彼は、湯のはいったなべを手にして、ほんのちょっとためらってから、その中に、ゴム管を入れてとぐろを巻かせた。《血清は、中を通りながらあたたまる。妙案だ！》と、彼は思った。そして、見ていてくれたかどうかと思って、ドクトルのほうをちらりと見た。それから、彼は少女のそばへもどって行き、ぐったりしている腕を持ちあげ、それにヨードチンキを塗り、メスで脈管にあたりをつけ、消息子《ゾンデ》をさしこんで見てから、血管に針を刺した。

「はいります」と、彼はさけんだ。「脈をとって。ぼくは動けないですから」

長いながい何分かが、完全な沈黙のうちに過ぎて行った。

アントワーヌは、からだをじっとり汗ばませ、息づかいもせわしく、まぶたにしわをよせながら待っていた。そして、目でじっと針をみつめていた。

やがて、彼はアンプレのほうを見上げた。

「どこまでいきました？」

「ほとんど半リットル」

「脈は？」

若いドクトルは、なにも答えずに首を振った。

さらに五分、おなじような、なんともたまらない不安のうちに過ぎていた。

アントワーヌは、ふたたび目をアンプレの上にそそいだ。

「どこまでいきました？」

「あと三分の一リットル」

「脈は？」

ドクトルはためらった。

「さあ。どうやら少し……少し持ちなおしたようですが……」

「数えられますか？」

間。

「いいえ」

《もし脈さえ持ちなおしてくれるようなら……》と、アントワーヌは思った。彼はいま、たとい自分の命を十年ちぢめても、この死んだような少女を生きかえらせてやりたかった。《いくつだろう？七つかな？　助けてやれても、こんなきたないところにおいたら、十年たたないうちに結核ものだ。だが、助けてやれるかしら？　いまが境だ――あぶない境だ……だが、おれはできるかぎりのことをした！　血清がはいって行く。だが、それもいまでは手おくれだ……待ってみよう……ほかにはなんの手段もない。やるだけのことはしてしまった。待つばかりだ……それにしても、この女は、じつによくしてくれた。きれいな人だな。そして、母親ではないという。では、いったいどういう人なのか？　シャール氏はいままで、こうした人たちについてなにひとこと話してきかせていなかった。娘ではあるまいな？　何がなんだかわからない。それにあの老婆と、その態度……が、なにしろ、みんな、おれのするようにさせていた。急に尊敬しだしやがった。つまりみんなに、相手の何者であるかがわかったんだ。精力家型の家に生まれたこのおれだ！……だが、なんとしてでも成功しなければ……はたして成功するだろうか。いや、運んでくるまでにずいぶん血を流したにちがいない。いずれにせよ、目下のところは見込みがない。やれやれ！》

彼は、少女のつやのない唇、あいかわらず、まをおいて高まっているひと筋の金髪をながめていた。呼吸は、まえよりいくらかはっきりしてきたように思われた。思いちがいかしら？　三十秒すぎた。気がつかないほどのためいきが少女の胸をふくらませ、まるで命のなごりをくみつくすとでもいったように、そこからしずかに消えていくかのようだった。アントワーヌは、目をすえて、一瞬困ったことになったと思った。いな、少女はあいかわらず呼吸しつづけていた。待つのだ、いつまでも、いつまでも、待ってみるのだ……

すぐあとから、またべつの、今度ははっきり聞きとれるほどのためいき。

「どこまでいきました?」

「ほとんどからになりました」

「脈は? 持ちなおしましたか?」

「ええ」

アントワーヌは、ひと息ついた。

「数えられますか?」

ドクトルは、時計を出し、眼鏡を掛けなおし、ちょっと口をつぐんでから言った。

「百四十……あるいは百五十」

「ないよりましだ」と、吐きだすようにアントワーヌが言った。

彼は、いま必死の努力で、ともすれば心の中にひそみ入ろうとする大きな安心と戦っていた。だが、それはけっして夢ではなかった。たしかにいくらか持ちなおしていた。呼吸も正しくなりかけていた。彼は、いまいる場所から身を動かすまいと、努力をしなければならなかった。口笛を吹きたいといったような、歌をうたいたいといったような、いかにも子供らしい気持ちにさそわれていた。《ないよりましだ、ラ・ラ・ラ・ラ》彼は、心の中で、けさからこびりついている節まわしにのせて歌ってみた。《わが胸のうち……わが胸のうち、眠れるは……ラ・ラ・ラ・ラ……いったいなにが眠っているんだ？――そうだ、わかった！》と、とつぜん思った。《月かげだ！　夏の月かげだ！

わが胸のうち　眠れるは　月かげよ
美しき夏のゆうべの月かげよ》

彼は一瞬晴ればれとした気持ち、しんからうれしくてたまらないといったような気持ちになった。《しかもこの子は助かったんだ》と、彼は思った。《なんとしてでも助けなければ！

美しき夏のゆうべの月かげよ……》

「からになりました」と、ドクトルが言った。

「けっこう！」

ちょうどこのとき、目を離さずに見ていた少女は、ちょっと身ぶるいした。アントワーヌは、ほとんど快活なようすで、若い女のほうをふり向いた。女は、十五分ばかり前から、食器戸棚にもたれたまま、まつげ一本動かさずにいた。

「奥さん」と、彼はぶっきらぼうな声でさけんだ。「われわれ、眠っちまってでもいたんですか？

湯たんぽは？」あっけにとられたような女のようすを見て、彼はあぶなく微笑しかけた。「ええ、わかりきったことですよ！　湯たんぽの、うんと熱いやつを。あんよをあたためてやるんですよ！」

彼女の眼差しの奥に、ちらりと喜びの色がひらめいた。そして、出て行った。

アントワーヌは、いやがうえにも用心しながら、そして愛情をこめながら、患者の上にうつむきこんで針を抜いた。そして、指の先で、その小さな傷の上にガーゼをのせた。つづいて彼は、腕にさわってみた。手は、まだ死んだようにだらりとたれていた。

「とにかく、カンフルをもう一本打っていただきましょうか。それで、手当は全部やったことになるんですから」彼は、口の中でいったようにつけ加えた。「これでたしかにだいじょうぶだろうと思うんですが」彼は、ふたたび、ひとつの力、快活なひとつの力におし上げられていた。

女は、はやくも湯たんぽをかかえて姿をあらわした。彼女はためらっていた。そして、彼がなにも言わないのを見て、そのまま少女の足もとへ近づいた。

「それではいけない」と、アントワーヌは、荒っぽい、と同時に陽気なちょうしで言った。「やけどをするじゃありませんか！　おかしなさい。湯たんぽのくるみ方まで教えてあげなければならないなんて！」そして、今度は微笑を浮かべながら、まるくたたまれたナプキンの落ちていたのを拾うと、そのリングを取って食器戸棚の上に投げあげ、さてナプキンで湯たんぽをくるんで、少女の足にあてがってやった。女は、彼の顔をとつぜん若返らせたいかにも若々しい微笑のかげにおどろきながら、じっと彼をみつめていた。

「この子……助かりました？」と、思いきったように女がたずねた。

彼にはまだ、そうであるとは言えなかった。

「さあ、あと一時間したらはっきり言えますが」

と、ふきげんそうに彼が答えた、だが女はちゃんと見ぬいていた。女は、大胆な、賛嘆をこめた眼差しで、じっと彼を見まもった。

《この美しい女は、いったいここでなにをしているんだろう？》アントワーヌは、これで三度めの疑問を起こした。それから、戸口のほうを指さした。

「みなさんは？」

女は、それとわからないほどの微笑をもらした。

「待っております」

「ちょっと安心させてあげてください。そして、横になりに行くように言ってください。みんな寝たほうがいいですな。そしてあなたも、おやすみにならなければ」

「あたしなんぞ……」彼女は、むこうへ行きながら、つぶやくようにそう言った。

「子供をベッドに移しましょう」と、アントワーヌはドクトルに言った。「さっきのように。足を持っていただきましょうか。まくらをさせずに、頭を平らに。ところでこれから道具をつくりましょう……そのタオルをどうぞ。それから包みのひも。即席の伸筋器をつくるんです。ひもは、鉄棒のあいだに通してください。鉄のベッドは便利ですな。今度はおもりだ。なんでもよろしい！ この鉢だ。

いや、もっといいものがある、その火のし、なんでもまに合う。そうそう、それを。これでよし！　あしたゆっくりなおしましょう。当座のところ、伸筋の役に立つでしょう……どうです？」

ドクトルはなんとも答えなかった。彼は、じっとアントワーヌをみつめていた。それはちょうど、ラザロが棺から立ちあがったとき、じっとイエスをみつめているマルタ（ラザロの姉妹）とでもいうようだった（ヨハネ伝第十一章）。彼は、わずかに口をあけた。そして、つぶやくようにこう言った。

「お道具を……かたづけてもよろしいでしょうか？」そのおずおずした声の中に、なにかしらご用をつとめたいといった気持ち、お役に立ちたいといった気持ちがうかがわれたことから、アントワーヌは、上に立つものの得意な気持ちをしみじみと感じた。部屋にはふたりきりだった。彼は青年のほうへ歩みよると、目の中をのぞき込んだ。

「お見上げしました」

相手は息がつけなかった。アントワーヌも、相手以上にあがっていた。そして、相手に、それに答える暇をあたえなかった。

「さ、どうかお帰りください。おそいですから。ふたりいる必要はありますまい」彼はためらった。「だいたい助かったと言えましょう。そう思います。だが、とにかく、今夜はぼくがここにいます。あなたさえおさしつかえなかったら……」ドクトルは、なにやらちょっと身ぶりをした。「おさしつかえなかったら」と、アントワーヌは言葉をつづけた。「もともとあなたの患者ですから。そうなんです。はっきり容態がわかっていたので、それで飛び入りをやっただけです。ねえ？　しかしあしたになったら、患者はすぐにあなたのお手にかえしましょう。しかもじゅうぶん安心して。じつにりっぱなお腕まえです」彼は、こう言いながら、ドクトルをドアのところまで送っていった。「正午ごろに来てくださいますか？」と彼は言った。「ぼくは、病院がすんでからやって来ます。手当についてご相談しましょう」

「Maître《メートル》（とくに大家にたいして用いる場合の《先生》の意）わたくしは……わたくしは、実に感激いたしております……先生と……」

アントワーヌにとって、自分がMaîtreと呼ばれたのはこれがはじめてのことだった。彼は、心ゆくばかりその言葉のかおりを吸い込んだ。そして、思わず両手を青年のほうへ差し伸べた。だが、彼はすぐにわれにかえった。

「先生《メートル》なんかではありません」と、あがった声で彼は言った。「先徒です。見習いです。ほんの単なる見習いです。あなたと同様。ほかの誰彼とおなじように。また、すべての人たちとおなじように。なんとかやってみるだけです。手探りしながらやるのです……できるだけのことをするのです。ただし、それだけにしても相当ですが」

アントワーヌは、なにかいら立たしいような気持ちで、早くドクトルに帰ってもらいたいと思っていた。自分ひとりになりたかったとでもいうのだろうか？　だが、部屋にもどってくる女の足音を聞きつけたとき、彼の顔は活気づいた。

「あなた、やすみにいらっしゃらなかったんですか?」

「ええ」

彼は、無理にとはすすめなかった。

病人はうめいていた。しゃくりがついて、痰が出た。

「だいじょうぶ、デデット!」と、彼は言った。「だいじょうぶ!」彼は脈をとった。「百二十。だんだん持ちなおしてくる」彼は、微笑もみせずに女のほうをみつめた。「これで、だいじょうぶ食いとめられたようですな」

女は、なんとも言わなかった。彼は、女が自分を信じきっているなと思った。彼は、話をしたいと思いながら、どう切りだしていいかわからなかった。

「なかなかしっかりしておいでしたな」と、彼は言った。そして、いつもまのわるいときにする彼一流のやりかたで単刀直入に女にたずねた。「この家で、あなたは、どういうかたなのです?」

「あたし? なんでもありません。おとなりのものというだけです。お友だちでもありません。ただ、六階に住んでるものですから」

「では、この子供さんの母親は? なんだかちっともわかりませんな」

「母親は死んでしまったらしいんです。アリーヌさんの妹で」

「アリーヌさん?」

「ばあやさんの」

「指のふるえていたばあさんですか？」

「ええ」

「では、この子はぜんぜんシャール君の親類ではないんですな？」

「そうなんですの。ばあやさんに育てられている姪なんです。かかりは、すっかりシャールさんがお持ちなんですが」

ふたりは、互いに軽く身を寄せあい、小声で話していた。そして、アントワーヌには、つい鼻さきに、女の唇、頬、目のさめるような肉体が見えていた。そこには、疲労によって、さらに一種の美しささえ添えられていた。彼には、自分がぐったりして、同時に熱っぽく、そして、本能にたいして無力になりでもしたようだった。

少女は、夢の中で身を動かしはじめた。ふたりは、いっしょにベッドのそばへよって行った。少女は目を細めにあけてから、ふたたびそれをとじてしまった。

「明かりがうるさいというんでしょう」女は、ランプを持ち、それをすみのほうへおきに行きながら言った。つづいて彼女は、玉のような汗をかいた病人のひたいをふいてやるため、そのまくらもとへもどって来た。そして、彼女が身をかがめたとき、目でそのあとを追っていたアントワーヌはハッと思った。ペニョワールの布をすかして、まるで影絵といったように、女が自分の前で急に裸になりでもしたように、その悩ましい姿がありあり見えたからだった。彼は、息をつめていた。そして、目の中が燃えさかるように感じながら、ほの明るい光の中、彼女が呼吸をするにつれ、その胸の高まるのをみつめていた。彼は、両手を、それがさっと凍りでもしたように握りしめた。いままで、これほどとつぜんな狂暴さで女を求めたためしはなかった。

「ラシェルさん……」と、ささやくような声がきこえた。女は身を起こした。

「アリーヌが、その子のそばへ来たいんだって」

彼女は微笑を浮かべて、さも、ばあやのためにとりなすとでもいうようだった。彼にとっては、第三者の来ることは迷惑だった。といって、こばむ気にもなれなかった。

「ラシェルさんておっしゃいますか?」と、口ごもりながら彼が言った。「ええ、ええ。入れてあげたらいいでしょう」

彼は、老婆がベッドのそばへ行ってひざまずくのも見ずに、あけ放された窓のひとつのほうへ歩みよった。こめかみが鳴っていた。外からは、ほんの少しの涼しささえはいってこなかった。屋根の上には、遠いはるかな稲妻が、ときおり、空を青く照らし出していた。彼は、はじめて、自分の疲れているのに気がついた。三時間から四時間、立ったままでいたのだった。彼は、腰をおろそうとして椅子をさがした。窓と窓とのあいだ、タイルの上にじかに置かれた二枚の子供ぶとんが、ちょうどふとん椅子《ディヴァン》とでもいったようになっていた。それはおそらく、いつもデデットが寝るところで、この部屋も、アリーヌばあさんの部屋らしかった。彼は、壁に背中をもたせ、ぐったりふとんの上に腰をおろした。そして、ふたたび欲情に身をまかせてでもいるようだった。透きとおるペニョワールを通してあのかっきりした乳房の線、その脈うつところを見ることができたら! だが、ラシェルは、いま光の中にはいなかった。

「子供が足を動かしたりはしませんでしたか？」と、彼は、身を起こさずに、つぶやくように言った。女は、一歩ベッドのほうへ歩みよった。そして、からだ全部が、着物の下に波うった。

「いいえ」

アントワーヌの唇はかわききっていた。そして、目には、あいかわらず燃えさかるようなものが感じられていた。彼には、どうしたらラシェルをランプの前に行かせられるかわからなかった。

「顔色はあいかわらずよくないですか？」

「少しよくなったようですわ」

「首をまっすぐにしてやってくれませんか？　平らに、そしてまっすぐに……」

そのとき、彼女は光の圏内にはいって行った。だが、それはただ、ランプとアントワーヌとのあいだを通り過ぎたにすぎなかった。だがこの一瞬こそ、さらに新しい欲情をそそり立てるのにじゅうぶんだった。彼は、目をとじ、背中を壁にもたせずにはいられなかった。彼は、歯を食いしばり、この秘密の幻影のうえにまぶたをとじようとした。夏のあいだの大都会のにおい――煤煙と、糞《ふん》と、アスファルトのほこりのにおい――は、空気をきわめて息ぐるしいものにさせていた。蠅は、まるで弾丸といったように、ランプのかさをたたいていた。そして、アントワーヌの汗ばんだ顔へも、うるさく飛んできた。まをおいて、郊外の空では、まだ雷鳴が聞こえていた。

しだいしだいに、暑さと、興奮と、さらには懊悩のはげしさとが、彼の力に打ちかった。彼は、自分でそれと知らずに、しだいに知覚を失った。筋肉はゆるみ、肩はぐったり壁にもたれた。彼は眠りに落ちていた。

彼は、何かしら特別な働きかけによって眠りの中からひき出された。そして、半眠半醒の状態をつづけながら、何かしら気持ちのいいものを感じていた。彼は、こうした温柔快適な気持ちが、自分の肉体のどの部分、自分の限界のどの地点からはいり込んできているかをつきとめようとする前に、長いこと、取りとめないその幸福な気持ちを味わっていた。それは、足からきているものだった。と同時に、彼は、誰かが自分のそばに来てすわったこと、もものあたりに感じられるぬくみが、生きた人間から出てきていること、その肉体なりぬくみなりがラシェルその人のものだということ、自分の感じているのが、じつは一種の肉欲的な快楽であること、そして、その原因がわかるとともに、それがさらにはげしいものになってきたのを感じた。女は、眠りながら、からだを彼のほうへすべらせたにちがいない。彼は、気をきかして、じっとからだを動かさずにいた。目は、すでにすっかりさめていた。双方のももの接触は、着物の布をとおし、てのひらほどの大きさもない面積を通じてなされていた。いま、そのわずかな面積にたいし、アントワーヌの全感覚は集中されていた。彼は、あえぎながら、身動きもせず、知覚は驚くばかりさえきっていた。そして彼は、入りまじるふたりの肉体のぬくみの中に、長いながいキスにもました、さらにいらだたしい快感を味わっていた。

とつぜん、ラシェルは目をさまし、腕をつっぱり、ゆっくり彼から離れて、身を起こした。彼もまた彼女が身を動かしたので、はじめて目をさましたといったようなふりをした。彼女は、微笑を浮かべながら、白状した。

「あたし、少し寝ちまいましたわ」

「ぼくも」

「朝になりましたわね」と、女は、髪をなおそうとして手を上げながら言った。

アントワーヌは時計を見た。そろそろ四時になりかけていた。

少女は、ほとんど落ちついて、眠っていた。アリーヌばあさんは、両手を組んで、祈ってでもいるようだった。アントワーヌは、少女のそばへ近よって、かいまきをまくってみた。《血はとまっている。けっこう、けっこう》彼は、ラシェルの身の動きを目で追いながら、少女の手首を握った。脈は百十を数えていた。

《なんというあたたかい足だったろう》と、彼は思った。

ラシェルは、壁に、釘で三カ所とめてある鏡のかけらに顔をうつしながら笑っていた。頭には、褐色をした髪をいただき、胸もとをはだけ、たくましい腕をあらわし、眼差しも悪びれず、大胆で、そしてちょっと小ばかにしたようなようすの見えるところ、まさにあの革命騒ぎのときの顔、バリケードの上に立った《ラ・マルセイエーズ》そのままといった顔つきだった。

「まあきれい！」と、彼女は、口をとがらせながらつぶやいた。彼女は、寝起きのとき、自分の顔の色つやなり、若さなりが、どんなにさえざえとしているかを知っていた。そして、アントワーヌが、鏡の中の彼女を見ようと、自分のそばへ歩みよって来たとき、彼女は、アントワーヌの顔の上にも、それをはっきり読んだのだった。彼女は、男の眼差しが、自分の眼差しを求めるのではなく、唇を求めていることに気がついた。

いっぽうアントワーヌは、鏡にうつった自分の姿を見た。そで口は、ヨードチンキにそまった腕の上までまくり上げられ、シャツはしわだらけ、それに、血のしみがついていた。

「あ、みんな、パクメルのところで待ってるんだ!」と、彼は言った。

ラシェルの顔に、妙な微笑が輝いた。

「あら? パクメルへときどきいらっしゃいます?」

ふたりの目は笑っていた。アントワーヌは、すっかりうれしくなっていた。彼はいままで、ほとんど浮いた稼業の女だけしか知らなかった。彼はとつぜん、女が、自分の欲情にぐっと近づいてきたように思った。

「あたし、帰りますわ」と、女が言った。そして、じろじろふたりのほうをながめているアリーヌばあさんのほうを向いて「なにかご用があったら、遠慮なく呼んでちょうだい」と、言った。

そして、アントワーヌにさようならも言わず、ペニョワールの胸をかきあわせると、いかにも身軽に姿を消した。

女が出て行ってしまうやいなや、彼もまた帰りたくなってきた。《すがすがしい空気を吸うんだ》と、彼は、立ち並ぶ屋根をこして目を朝ぞらに投げながら思った。《それから家へ帰る。そして、ジャックにわけを話してやる……病院をすまして、またやって来る。からだを洗って、人まえに出られるような姿になって。包帯のときのてつだいのため、彼女を頼んでもらえるかな？　それとも、階段の途中で、ちょっと声をかけたものか？　なんだ、そういうおれは、相手が独身であるかどうかもしらないくせに……》

また来るときまでに少女が目をさましたらと思った彼は、二、三の注意をアリーヌにあたえた。それから、いざ帰ろうとして、ちょっと気がかりなことが心に浮かんだ。シャール氏はどうしたろう？

「お部屋は、玄関口の、ストーヴのそばでございます」と、ばあやが教えてくれた。

なるほど、ストーヴのそばのところ、三角形の末ひろがりになった細長い部屋へ通じる板戸があった。その部屋の奥のところには、階段の壁をくりぬいてつくった明かり取りからの光線がさしていた。そこの部屋のなか、着のみ着のまま、シャール氏は、鉄のベッドに横たわり、口をあけ、しずかにいびきをたてて眠っていた。

《ばかめ、耳にしっかり綿をつめてやがる！》と、アントワーヌは思った。

彼は、シャール氏が目をさますかもしれないと思って、しばらく待ってみることにした。壁には、色ボールの台紙に宗教画がずらりとはられていた。書棚には書物が——これまた宗教書が——つまっていて、一番上の棚には、その両側にからの香水びんが並び、それらのあいだには地球儀がひとつ置かれていた。

《患者シャール氏は……》と、アントワーヌは思った。《おれはどうも患者病だな。なあに、こんなやつは簡単だ。いわく、容貌平凡にして愚昧なる生活。おれにはとかく、何かに注意を向けるが早いか、たちまちそれを変貌させ、それを大げさに考えるくせがある。これは警戒しなければ。早い話が、あのトゥールーズでの女中の場合だ……おや、なぜあんなことを思いだしたんだろう？　あの部屋の窓が、やっぱり階段についていたからだろうか？　そうじゃない。この化粧シャボンのにおいのせいだ……連想というやつは奇妙なものだな……》彼は、自分が、非常な興味をもって、あのときのホテルの女中の姿を思いだしていることに気がついた。まだずっと年のいかないころ、彼は、父のお供をしてどこかの会議へ出かける旅の途中、ひと晩、屋根裏の部屋の、その女中のところへ忍んで行った。あのときの豊満な女の肉体、ごわごわした夜具の中で自由にしてやったあの肉体。いまだったら、相当出しても惜しくはなかった。

シャール氏は、あいかわらずいびきをつづけていた。アントワーヌは、このうえ待つことをあきらめた。そして、踊り場《パリエ》へ通じている廊下へ出た。

階段に足をかけたとたん、彼は、ラシェルが下の部屋に住んでいることを思いだした。そして、曲がりかどまでくると、彼は目で戸口をさがした。戸口はしめられていなかった！　彼女の戸口にちがいない、ほかに戸口はなかったから。だが、あけたままなのはなぜだろう？

今さらためらってはいられなかった。彼は、足をゆるめずに降りつづけ、とうとうそこの階まで来た。

ラシェルは、取っつきの部屋にいた。そして、足音をききつけて、ぐうぜんこちらをふり向いた。髪を結いなおした彼女はみずみずしかった。彼女は、桃色のペニョワールを、白い絹のキモノに着かえていた。褐色の髪は、そうした白い着つけの上のほうで、まるでろうそくの炎とでもいったようだった。彼は、

「さよなら」と、言った。

彼女は戸口に立っている彼のほうへやって来た。

「なにか召しあがっていらっしゃいません？　チョコレートをこしらえたところですの」

「いや。とてもからだがよごれていますから。ほんとに。では！」

彼は手を出した。女は、なかば微笑を浮かべていた。そして、手を出そうともしなかった。

彼は、また言った。

「では！」そして、女が、手を出そうともせずに微笑しつづけているのを見ると、「お手をくださいませんか？」と、言った。

彼は、女の微笑が固くなり、その眼差しがキッとこわばるのを見た。女はようやく手を出した。だが、それを握るだけのひまもあたえず、力まかせにアントワーヌをつかむと、荒々しく玄関の中へひっぱり込み、男のうしろに戸をしめた。ふたりは、向かい合って立っていた。女はもう微笑してはいなかった。だが、唇だけはあけていたので、その歯の光っているのが見えていた。髪のにおいがアントワーヌを包んだ。彼は、あらわな乳房、燃えるようなもののことを考えた。彼は、荒々しく顔を近

づけた。そして、目を、彼女の目のぐっと近く、大きく見ひらかれているラシェルの目の中にそそぎ込んだ。女は、べつにあとしざりもしなかった。彼の腕にかかえられたからだが、わずかにしなったように思われたばかり。そして、彼女のほうからアントワーヌの唇に口を投げてきた。つづいて女は、力をこめて身を振りほどいた。そして、顔を上げ、ふたたび微笑を浮かべながら、つぶやくようにこう言った。

「ああした晩って、興奮しますわね……」

彼には、あけ放った戸口を通して、部屋の奥、桃いろの絹をつけたベッドが見えた。そして、おりから射しこむ朝の光に、この遠いようで、しかもすぐ近くにある女の寝室は、朝日を浴びた大きな花のうてなででもあるかのように思われた。

四

おなじ日の朝、十一時半ころ、ラシェルはシャール氏の住まいのドアをたたいた。

「おはいり！」と、鋭い声がどなった。

シャール氏の母親は、食堂の、あけひろげた窓の前、いつもの席にすわっていた。そして、上体をシャンと立て、足は足台の上にのせ、手は、いつものように何もしないでいた。《何もしないで、お恥ずかしく思いますよ》と、ときどき彼女は言っていた。《でもねえ、ある年になると、もう人さまのために働こうにも働けなくなってしまいましてね》

「嬢ちゃんはいかが？」と、ラシェルがたずねた。

「目をさましましたよ。だが、水を飲んで、また寝ちまいましたよ」

「シャールさんはお留守？」

「出かけました」マダム・シャールは、さもあきらめたといった表情で、肩をすくめてみせながら言った。

老婆は、悲しそうに言葉をつづけた。

「朝のうち、あの子はまるで蚊のようにうるさくってね。ほんとに、日曜ときたら、男たちのいる家はまったく地獄でね。あんなことがあったあとだし、あの人も、いままでより少しは家の者にあたりがよくなってくれるかと思っていたんですよ。ところが、どう？　もうきょうは朝っぱらからほかのことを考えてるのさ。とっぴょうしもないことを！　そして五十何年もまえからこらえにこらえていた仏頂づらをしてるんですよ。はじまるまでに一時間もあるというのに、大ミサに出かけて行きましてね。正気のさたかしら？　しかも、まだ帰ってこないんですよ。ほれ」と、老婆は唇をとがらせながら言葉をつづけた。「あそこへ帰ってきた。うわさをすればなんとやら……ねえ、おまえさん」

老婆は、つまさき立ってはいって来た息子のほうへ首をつきだした。「そんなにドアをパタンとしめないでくださいよ。心臓のわるいわたしだけのためではないんだからね。きょうはデデットのためなんですよ。あの子が死んでしまうからね」

シャール氏は、べつに言いわけをしようともしなかった。うわの空で、なんだかほかに心配ごとでもあるようだった。

「嬢ちゃんを見にいらっしゃいませんか？」と、ラシェルが言った。そして、ふたりが、眠っている少女のベッドの前に来て立つが早いか「あなた、あのチボー先生を、ずっとまえからご存じでして？」と、彼女が言った。

「え？」と、シャール氏が言った。その目には、さっと驚愕の色が浮かんだ。だが彼は、飲みこんだようすで、こだまのように「え？」と、くり返した。そしてそのまま黙りこんだ。つづいて彼は、ないしょ話をはじめようとする人のように、とつぜん彼女のほうを向きなおった。

「なあ、ラシェルさん、あんたデデットにいろいろ親切にしてくださいましたな。今度はわたしに、ひとつお願いがあるんですがね。いろいろなことですっかりまいってしまったんで、たしかに、けさはばかみたいになっていますが。でも正直のところ、も一度行かなければならないんですよ。しかもすぐに。だが、もう一度、ひとりであそこの窓口へ行くだけの気には……どうも……なんともきまりがわるくて！　どうかいやと言わないでね」と、彼は嘆願した。「わたしも男だ、はっきり言っとく、わずか十分でいいんですから」

なにを言っているのか、ちっともわからなかった。だが、彼女は微笑を浮かべて承諾した。ひとつには、この男のとほうもなさかげんをたのしんでやろうという気持ちもあったと同時に、ふたりきりになれるのを機会に、アントワーヌのことについてもっと聞きだしたいと思ってだった。だが道みち、彼は、女から何を聞かれても、耳にはいらないといったようすだった。そして、ぜったい口をひらかなかった。

警察についたときには、とっくに正午が鳴ってしまっていた。署長は、いましがた出かけたばかりということだった。シャール氏の、あまりにもはげしいしょげかたに、書記はむっと腹を立てた。

「わたしがいますよ。おなじこっちゃないですか。どういう件でお見えでした?」

シャール氏は、その男のほうへ、おびえたような一瞥を投げた。そして、いまさらひっ込みもつかずに、なにかと説明に取りかかった。

「じつはいろいろ考えたものですから。申したてに、少しつけ足しておかなければならないことが起こりましてね」

「申したて?」

「けさ来まして、あそこの窓口にお願いしました」

「お名まえは?　ちょっと書類を調べてみましょう」

ラシェルは、なにかおもしろく思われたので、彼のそばへよって行った。やがて書記は、一枚の書類を手にしてもどって来た。そして、相手の頭のてっぺんからつまさきまでじろじろながめた。

「シャール?　ジュル・オギュスト?　これですな?　で、ご用件は?」

「じつは、わたしがどこで金を拾ったか、そこのところが、署長さんによくわかっていただけなかったようなので」

「リヴォリ町、と書いてあります」と、書類を見ながら相手が言った。

シャール氏は、まるで賭けに勝ちでもしたようにニヤリとした。

「そうら！　それがちがうんでございますよ。ちょっとまちがっておりますんで。わたしは、一度行ってみました。そして、その場へ行ってみると、いろいろこまかい点、ちゃんと記しておいていただいたほうが正しいと思われる点を思いだしました」彼は、手を口に当てながらせきをした。そして、ふたたび言葉をつづけた。「つまり、それが確かに往来だったとは言えませんので。むしろ、テュイルリーの公園でした。そう、わたしは公園の中にいました。いいですか？　コンコルドからルーヴルへ向かって行って、新聞の売店から二番めの、石のベンチに腰をかけていました。そこに腰をおろし、手に杖を持っていました。どうしてこうしたこまかい点に力を入れるか、それはあとでおわかりになります。見ると、ひとりの紳士と婦人がわたしの前を通って行く。そして、そのあとからひとりの男の子が歩いていました。ふたりは、何やら話して行く。わたしはこんなことを考えました。《あのふたり、ちゃんと家庭をこしらえ、りっぱに子供もこしらえてるんだ、等々……》いや、いっさいがっさいお話し申しておりますんで。すると、その子供が、わたしのいるベンチの前にさしかかったとたん、ころびました。子供は泣く。元来子供を扱いつけないわたしなので、じっと動かずにおりました。母親が飛んで来る。と、彼女は、わたしの前、ほとんどわたしの足もとのところ、子供のそばにしゃがんだと思うと、――ねえ、なにもわたしが悪いわけではありますまい？――子供の顔をふいてやろうと、手にしていた小さなハンドバッグから、ハンケチか何かをとり出しました。わたしは、じっと腰掛けたままでいました。ところがです」と、彼は人さし指を立てながら言葉をつづけた。「彼らが立ち去ったとき、わたしは、砂の中に、杖の先でいたずらをしながら、ふとその金を見つけました。あとになって、そのときのことをすっかり思いだしました。わたしはいままで、いわゆる潔癖な男でとおっております。このことは、ここにおいでのラシェルさんも証明なすってくださいましょう。五十二年間、一点非を打たれたりしませんでした。これはたいしたことなので。そこで、はっきり申しあげたいと思いますので。つまり、その婦人なり、ハンドバッグなりが、この金の件について手がかりになるだろうと考えついたわけなのでして。これは、一点うそ偽りのないお話です」

「追っかけられなかったんですの？」と、ラシェルがたずねた。

「ずっと遠方へ行っちゃってたんで」

書記は、書類から目を上げた。

「その人たちの何か特徴といったようなものでも言っていただけますか？」

「紳士のほうはおぼえていません。婦人のほうは、じみな着物を着ていました。年のころ三十ばかり。子供は機関車を持っていました。さよう、この点、とくにはっきりおぼえております、小さな機関車をね。小さなやつ、いいですか。ざっとこれくらいの大きさのやつ。そいつをひっぱっていたのでした。みんなお書きとめいただけましたか？」

「だいじょうぶ、それだけですかね？」

「ええ」

「いや、ありがとう」

ラシェルは、もう出口のところまで行っていた。シャール氏は、あとについて行こうともせずに、受付の板にひじをつき、なおも窓口のほうをのぞき込んでいた。

「もひとつ、ちょっとした点を申しあげておきたいので」と、彼は顔を赤くしながら、つぶやくように言った。

「けさ金をお渡ししたときに、どうやらちょっとまちがいをやったらしいのですが、はい」彼は言葉を切って、ひたいの汗をふいた。「たしか、紙幣を二枚お渡ししたと思いますが？　五百フランを二枚？　そうでした。いまはっきり思いだしました。あれはわたしの思いちがいと、と申すより、うっかりだったんでございましてな。というのは……わたしの見つけたのは……ちょっとちがっていて、紙幣一枚だったんでございますよ……千フラン紙幣一枚、よろしゅうございますな？」汗がたらたら流れていた。彼はふたたびそれをふいた。「そのことをひとつお書きとめねがいたいんで。せっかく思いだしたんでございますから。もっとも、そんなことはけっきょくおなじことかもしれませんが」

「おなじどころか」と、書記が言った。「それがたいせつな点なのですよ！　千フラン紙幣一枚落とした人が百万べん足を運んでも、五百フラン紙幣二枚はけっして渡してやれませんから。とんでもない！」彼は、不満そうな目つきで、じっとシャール氏のほうをみつめた。「身分証明書をお持ちですか？」

シャール氏は、ポケットというポケットをさがしてみた。

「持ちません」

「お持ちでないではすみませんぞ」と、相手が言った。「ざんねんですが、このままお帰しはできませんな。警官をひとり、お宅まで送って行かせましょう。家番の口から、お名まえ、住所、ともにいいかげんのものでないことを証明してもらわなければ」

シャール氏は、いまはどうでもなれと思っているらしかった。彼は、あいかわらずひたいの汗をふきつづけていた。だが、顔には落ちつきが見え、そこにほとんど微笑の影さえ浮かんでいた。

「どうぞ」と、彼は、ていねいに言った。

ラシェルは、からからと笑いだした。シャール氏は、彼女のほうへいかにも物悲しげな眼差しを向けた。つづいて、考えたあとで、思いきって彼女のほうへ一歩近づくと、いささかどもりながらこう言った。

「ラシェルさん、ほんのつまらぬ、名も知れない男のモーニングの下にも、往々なんのなにがしといわれるりっぱな人物、しかも山のように名誉をにない、シルクハットをかぶった人よりもっととうとい――そう、もっととうとい、同時にもっと正直な心がひそんでいることがありますからね」彼は、顔の下の部分をふるわせていた。彼には、ほとんどすぐに、あまり気色《けしき》ばんで言ってのけたことがくやまれた。「いや、ラシェルさん、なにもあなたに言ったんではないんでしてね。むろん、おまわりさん、あなたに向かってでもないんでしてね」彼は、おりからはいって来た警官を、すこしも悪びれずに、じっと見つめながらつけ加えた。

ラシェルは、シャール氏と巡査とが家番室で話をしているままにして、自分の住まいへあがって行った。

すると、踊り場《バリエ》のところにアントワーヌが待っていた。

彼女としては、まさか彼がそこにいようとは思ってさえいなかった。彼を見るなり、とてもうれしい気持ちがしてはっとまぶたを伏せはしたが、顔には、ほとんどそうしたかげさえ見せなかった。

「ベルをたてつづけにならしましたよ。だめかと思っていたんですよ」と、彼は、心に思っていたままを言った。

ふたりは、わかりあった同士らしい微笑を浮かべ、顔と顔とをうれしそうに見かわした。

「けさ、何かあったんですか?」と、彼は、明るい色のタイユールを着、はでな帽子をかぶった女の、そのすっきりした姿に見とれて言った。

「けさって? だって、もう一時をまわっていますわ。それにあたし、まだご飯まえですの」

「ぼくだって」彼は、そくざに決心した。「どうです? いっしょに食事をしに行きませんか? え? どうです?」彼女は、欲望をかくすことを知らない相手の、いかにも貪欲な子供らしいようすに負けて微笑していた。

「うんとおっしゃい！」

「じゃ、うんて言いますわ」

「おお！」と、彼は言った。そして、はればれとした気持ちになった。

彼女は、ドアをあけながらこう言った。

「ちょっとお待ちになってね。家政婦に言って、帰らせることにしてきますから」

彼は、ちょっとのあいだ、ひとり入口のところに立っていた。彼は、けさ、女が自分に身を寄せてきたときの感覚のことを思い浮かべていた。《なんてはげしいキスだったろう》と、彼は思った。そして、心の動揺をおさえきれずに、こぶしで壁に身をささえた。はやくもラシェルがもどって来た。

「さあ！」と、彼女は言った。そして、「あたしお腹《なか》がへっちゃったわ！」と、さも快楽をさそいかけるといったような、動物的な微笑を浮かべながら言葉をつづけた。

彼は、ぎごちない言いかたでこう言った。

「ここから出るとき、ひとりのほうがいいでしょうか？　往来へ出てから、いっしょになっては？」

彼女は、笑いながらふり向いた。

「あたし？　あたし、まったく平気。どんなことでもあけすけなの！」

ふたりは、リヴォリ町を歩いて行った。アントワーヌは、あらためて、女の足どりのいかにも軽やかなのに気がついた。そのため、からだをうごかすにつれ、女はまるで踊ってでもいるようだった。

「どこがいいかな？」と、彼がきいた。

「あの家なんかどう？　時間もおそいことなんだし！」そう言いながら、女は、日傘の先で、町かどにある近所のレストランをさしてみせた。

中二階には、ひとりも客がいなかった。小さなテーブルがいくつか、半円形のいくつかの窓にそって並べられていた。窓は、アーケードの下へ向かってあけられていて、それが部屋のゆかすれすれにあけられているため、天井の低い部屋の中には、おやと思うような光線がそそがれていた。部屋の中は涼しかった。そして、しっくり落ちついた陰があった。ふたりは、遊びごとをはじめる子供たちといったような目つきで、たがいに向かいあって腰をおろした。

「ところで、あなたのお名まえさえ知らないんだけれど？」と、思いだしたように彼が言った。

「ラシェル・ゲプフェルト。二十六歳。あご、楕円形。鼻、中正……」

「歯は？」

「ほら！」と、女はさけぶと、ソーセージの皿にかぶりついた。

「気をつけて。にらの味つけかもしれませんよ」

「平気」と、彼女は答えた。「あたし、悪食《あくじき》大好きなの」

ゲプフェルト……おそらく相手はユダヤ人だなと思ったとたん、アントワーヌのうちに残っていたいささかの教養が、思わずはっとさせられた。だがそれも、きょうのこうした冒険に自分が一本立ちだといった気持ち、異国趣味といった気持ちに味をそえただけだった。

「父はユダヤ人でしたの」と、女は、べつに虚勢をはるでもなく、相手の心を見透かしでもしたように言ってのけた。

そでがひじまでしかない服装のウェートレスが、献立表を持って来た。

「ミクスト・グリル、どう?」と、アントワーヌが言った。

ラシェルの顔は、不思議な微笑に輝いた。明らかに、それをおさえることができなかったとでもいうような微笑だった。

「何がおかしい? これはとてもすてきなんです。いろいろうまいものを、いっしょにグリルしたやつでね。腎臓とか、ベーコンとか、ソーセージとか、カツレツとか……」

「……それにクレッソンと、じゃがいものスフレがついております」と、ウェートレスが言いたした。

「知ってるわ。けっこうよ」と、彼女が言った。おさえていた陽気さが、そのなぞのような眼差しの中に、いまもはぜつづけているようだった。

「なにか飲む?」

「ビール」

「ぼくも飲もう。うんと冷たいのを」

女が、小さいなまの朝鮮あざみの葉をかじっているあいだ、彼はじっとそのほうをながめていた。

「あたし、酢で味をつけたものはなんでも好き」と、彼女が言った。

「ぼくも」

彼は、自分も彼女とおなじでありたいと思っていた。彼は、女がなにか言うたびに、あやうく《ぼくも！》といったりして話の腰をおらないように気をつけていた。彼女の言うあらゆること、彼女のするあらゆること、その何からなにまでが、そうあってほしいと思っていたところにぴったりだった。服装にしても、彼がいつも、女の服装はこうありたいと思っていたところそのままだった。彼女は、首に古い琥珀の首飾りをしていた。その大きな粒は、半透明で、細長く、果実とか、大きなマラガ産のぶどうとか、日に照らされてふくれかえっているミラベル（小梅の実の一種）とかを思わせた。そして、首飾りの下の彼女の皮膚は、乳色の、なにか悩ますような輝きを見せていた。アントワーヌには、彼女の前にいる自分が、いかにしてもいやされない、飢えきった男ででもあるかのように思われた。《なんてはげしいキスだったろう……》と、彼は、胸にこみ上げる血潮とともに、ふたたびあのときのことを思いだした。しかも、彼女は、いまそこに、彼の前に、あのときそのままの姿でいる……そうした彼女は、微笑していた！

　テーブルの上には、あわ立ったビールのコップがふたつ運ばれてきた。ふたりとも、それを待ちきれずにいたのだった。アントワーヌは、わざとおもしろがって、ラシェルの目をじっと見つめながら、彼女といっしょに杯をあげることにした。そして、ラシェルが、舌の上に冷たいビールを流しこむとき、それといっしょに、ピリリと舌をさすあわ立ったビールを舌の上に流しこみ、それを舌でぬるませながら、まるでふたりの唇がふたたび合わされたとでもいったような気持ちを味わっていた。彼は、しばらくばかのようになっていた。そこへふたたび、彼女の声が聞こえてきた。

「……あそこの女の人たちったら、あの人をまるで下男のように扱ってますのよ」と、彼女が言った。

彼は、はっと我にかえった。

「女の人たちって?」

「お母さんと、ばあやさん」(彼にははじめて、ラシェルがシャール家の人たちのことを話しているのだなとわかった。)「お母さんたら、息子さんのことを、いつも《ぼんくら》としか呼ばないんですのよ」

「でも、あの男のことだったら、そのへんのところがかっこうかもしれない」

「あの人、帰って来ると、すぐ小づきまわされてしまうんですの。朝、踊り場《パリエ》のところで、あの女たちの靴の泥を落とすのもあの人。それに、あの女の子の靴まで」

「シャール氏が?」と、アントワーヌはおもしろがって言った。彼は、シャール氏が、父から口授されて何かを書きとめているところや、父にかわって精神科学翰林院《アカデミー・デ・シャンス・モラル》の同僚と応対しているところなどを思いだしていた。

「しかもあの人たちったら、グルになってあの人を裸にするんですの! 出がけに、背中にブラシをかけてやるって口実で、ポケットの中のお金をくすねたりするんですの。去年、お母さんは、あの、人の筆をうまく似せて、三、四千フランの小切手に署名しました。シャールさん、まるで病気にでもなりそうでしたわ」

「で、どうしました？」

「もちろんみんな払いましたわ。六カ月月賦で、少しずつ。まさかお母さんを訴える気にもなれなかったし」

「ぼく、毎日会っていながら、いままでちっとも気がつかなかった」

「あのかたのところへ、一度もいらしったことおありにならない？」

「一度も」

「いま、あのかたの家のお道具ったら、まるで貧乏人のところ以下。でも、つい二年ばかりまえまでは、ゆかはタイル張り、板壁や、板戸ばかりのあのかたのお家《うち》は、まるでヴォルテール時代そっくりでしたわ。はめ木細工の家具だの、ご先祖さまの肖像画だの、それに古い銀細工の品物まであって」

「そうしたもの、どうしました？」

「あのふたりが、ないしょですっかり売っちゃいましたの。ある晩、シャールさんが帰ってくると、ルイ十四世式の机が見えなくなっていた。べつの日には、壁掛けや、ベルジェール（安楽椅子の一種）や、置き時計や、ミニアチュール（細密画の小画像）なんかがなくなっていた。おじいさんの肖像までも売っちゃいましたの。軍服を着たりっぱな人でしたわ、三角帽をこわきにかかえ、前に地図をひろげて」

「軍人出の貴族かしら？」

「だいたいね。ラファイエット将軍の下で、アメリカ独立戦争のときに働いたんですって」

彼は、女がそうとうおしゃべりではあるが、その話しぶりのうまいのに気がついた。女の話のはしばしには色合いがあった。なかなか頭もよく、とりわけ機知があり、物の見方なり、それの心へのとどめかたなり、いっぷうあるのをえらいと思った。

「ぼくの家では」と、彼が言った。「シャール氏、けっして苦情を言いませんがね」

「あたし、あの人が、夕がた、たびたび、階段のかげにかくれて泣いてるところを見かけましたわ！」

「じょうだんじゃない！」と、彼はさけんだ。

アントワーヌがそうさけんだときの眼差しなり微笑なり、そのあまりの真剣さに、女は、いままで話していたことを忘れて、ひたすら彼のことばかり考えはじめた。

アントワーヌはたずねた。

「あの家の人たち、ほんとにそんなに貧乏なのかしら？」

「とんでもない！　おばあさんたち、お金をみんなへそくって、どこかへちゃんと隠していますの。そして、なにひとつ不自由な目をみていませんの。それでいて、シャールさんがチューインガムを買ったりすると、それはそれはえらい目に会わせましてね！　あそこの家で誰知らぬもののない話をお聞かせしようかしら！……あのアリーヌばあさんね……お考えになれる？……じつはシャールさんのおかみさんになろうと思いましたの！　笑っちゃだめ。しかも、もう少しでなるところでしたの！　ちゃんとお母さんと腹を合わせていたんですの。ところが運よく、ある日ふたりはけんかをしちゃった……」

「で、シャール氏のほうは？　あいつもそのつもりでいたんですか？」

「だって、デデットがいるんですもの。しまいにはうんと言っちゃいますわ。とてもあの子をかわいがっているんですもの。あそこの人たち、なにかあの人に注文があると、子供を、サヴォワへ——アリーヌのお国へやっちまうっておどかしますの。するとあの人、涙を流して、言いなりしだいになっちまいますの」

アントワーヌはいま、ラシェルの言葉にはほとんど耳をかしていなかった。彼は、自分がすでにキスしたことのある彼女の口の動きを見まもっていた。そのきりっとした口には、まんなかのところに豊かな肉がついていた。そして、唇の合わせめは、まるで刃物で切ったようにすっきりしていた。話しやめると、唇の両はしが心もちあがって、さも微笑しかけてやめでもしたように見えるのだった。だが、そうした微笑は、けっして人をあざ笑うようなものではなく、おだやかな、陽気な微笑にほかならなかった。

彼はいま、ほとんどシャール氏のことなどを考えていなかった。で、声を低めてこう言った。

「ああ、幸福だなあ」そして、顔をあからめた。

女は、からからと笑いだした。ゆうべ、手術台を前にしての彼の力量を十二分に知っていた女は、いま彼の中に見いだされた、そして、それによって彼が自分に近いもののように思われだした子供らしい一面を見て、すっかりうれしくなっていたのだった。

「いつから?」と、女がたずねた。

彼はちょっと嘘をついた。

「けさから」

だが、それは必ずしもそうではなかった。彼は、ラシェルの家から、日に照らされた町へ飛び出していったときの気持ちを思いだした。彼はいままで、あのときほどシャンとした気持ちになったことはなかった。彼は、ロワヤル橋の前のところで、きわめて冷静な態度で人ごみの中に割って行き、行きかう車のあいだを縫いながら《おれはいったい、なんという自信を持ってるんだ! なんというしっかりした腕を持ってるんだ! しかも世の中には、自由意思を否定するやからがたくさんいる》と考えたときのことを思いだしていた。

「どう? このグリルしたセープ(食用菌の一種)?」と、彼は言った。

「With pleasure.(英語。《喜んでちょうだいするわ》)」

「英語が話せる?」

「もちろん。Si son vedute cose piu straordinarie.(イタリア語。《もっと変わったものも知ってるわ》)」

「なんだ、イタリア語も? ドイツ語は?」

「Aber nicht sehr gut.(ドイツ語。《あまりうまくは》)」

彼は、ちょっと考えた。

「ほうぼう旅行したんだな？」

女は、微笑しかかるのをがまんした。

「少しは」

彼は、女の眼差しを求めた。それほどまでに、女の言葉のちょうしには、なにかふしぎなものがひそんでいた。

「なにを言いかけていたのかしら？」と、彼は言葉をつづけた。

いまは、言葉など問題でなかった。ふたりは、眼差しにより、微笑により、声により、なんでもないちょっとした身ぶりにより、たがいのあいだに、不断の交流の行なわれていることを感じていた。

女は、とつぜん、彼をじろじろながめながら言った。

「あなたっていうかた、ゆうべのあなたとずいぶんちがうわ……」

「誓っておなじ人間ですよ」と、まだヨードチンキで黄いろく染まっている両手を上げながら彼が言った。「もっとも、きょうは、大外科医の一役を買うわけにはいかない。なにしろ、処理しなければならないのは、単にカツレツの骨だけですから！」

「あたし、ゆっくり、あなたっていうかたを見てしまったの！」

「で？」

女は口をつぐんだ。

「ああしたことに立ち会ったのはあれがはじめて？」と、彼は言葉をつづけた。

女は、じっと彼をながめて、すぐには返事をしなかった。そして、たちまち笑いだした。

「あたし？」と、女は言った。それはまるで《あたし、もっとたくさん見ているわよ！》とでも言いたいようなちょうしだった。だが、女はすぐに話題をかえた。

「毎日あんなふうな手術をしていらっしって？」

「ううん。外科はやらない。ぼくは内科。小児科専門」

「なぜ外科をおやりにならなかったの？　あなたみたいなかたが！」

「まあ天分がなかったからな」

「ざんねんね！」と、女はためいきをついてみせた。

ふたりは、しばらくのあいだ黙りこんだ。女のいった言葉は、彼の心に何かさびしい反響をひき起こしていた。

「ふん、内科に外科か……」と、彼は高い声で言った。「天分については、みんなえらい思いちがいをしてるんですよ。自分では、ちゃんと自分で選んでのけたつもりでいる。だが、じつは、いろいろな事情がそうさせるんでね……」（女の目には、ゆうべ、少女のまくらもとで、あれほど自分をひきつけた、あの男らしい顔だちの影らしいものがふたたび彼の顔の上にあらわれるのが見えた。）「なっちゃったものを、いまさらとやかく言ってもはじまらない」と、彼は言葉をつづけた。「いったんこれとえらんだ道は、それが前へ前へと歩かせてくれるものであるかぎり、それが一番いい道でしてね！」そして、とつぜん自分の前にすわっているこの美しい女のこと、彼女がすでに何時間かまえから自分の生活の中にはっきりその席をしめていることを思いだした彼は、急に不安な気持ちになってこう思った。《そうだ、なにしろ、これで仕事がじゃまされることにならなければいいが！　仕事の達成をじゃまされることにならなければいいが！》

女は、男の顔をかすめた影を見のがさなかった。

「あなた、ずいぶん片いじらしいわね」

彼は微笑した。

「軽蔑する？　ぼくは長いこと、ひとつのラテン語を座右の銘としてもっていました。《がんばる！》すなわちStabo！　ぼくは、それを便箋の上にも印刷させ、本のとびらにも書きつけました……」

彼は、時計の鎖をひっぱりだした。「いまここにある。昔からの印判の上にもそれを彫らした……」

女は、鎖のはしにさがっている、貴金属細工の判を手に取った。

「あら、すてきだわ」

「ほんと？　気にいった？」

女は、彼の気持ちを見てとった。そして、それを彼に返しながら、

「ううん」

彼は、はやくもそれをはずしていた。

「どうぞ」

「とんでもない」

「ラシェルさん……どうか記念に……」

「だって、なんの？」

「いろんなことの」

彼女は「いろんなことの？」と、おうむがえしに言った。そして、明るい笑いを見せながら、じっと相手をみつめていた。

ああ、このときの彼女が、どんなに気に入ったことだろう！　ほとんど男の子の笑いといったような朗らかな笑い、それがどんなにかわいく思われたか！　彼女こそは、彼がいままでに知ったいろいろな商売人の女たちとちがっていると同時に、社交界や、休暇のあいだに、ほうぼうのホテルで出会った令嬢たち、ないし婦人たち、彼をひきつけるというより、むしろおじけづかせたそうした婦人たちともちがっていた。ラシェルは、少しも彼をおじけさせなかった。彼女は、彼とおなじ平面に立っていた。彼女には、一種の異教徒的な美しさ、また、自分の渡世を愛している商売女のざっくばらんさといったようなものさえ見えていた。そうした美しさには、そこになんらあいまいなところ、いやしげなものが見られなかった。なんと気に入ったことだろう！　彼は、女の中に、単にすばらしい相手を見つけだしたというだけではなかった。生まれてはじめて、伴侶なり、友人なりが得られたような気持ちだった。

けさからかけて、彼にはこうした考えがついて離れなかった。彼はすでにあれやこれやとラシェルを一員とする新しい生活の設計を組み立てていた。そうした取りきめにただひとつ欠けていたのは、当事者である彼女自身の承諾だった。そうしたわけで、彼は一種の子供らしいじれったさで、女の手をとり、こう言いたかった。《あなたこそ、ぼくの待っていた人なんだ。ぼくは行きずりの恋愛なんかやめにしたいと思っている。ぼくには不確定がたまらないんだ。ふたりのこれからをはっきりさせておこうじゃないか。ぼくの愛人になってほしい。そして、ふたりで、計画を立ててみようじゃないか》彼は、幾度となく、相手がそうした気持ちに気のついてくれるようにしむけていた。そして、将来を約束するような言葉さえも口にした。だが、女は、けっしてわかったようすを見せなかった。彼は、これは女に、なにか二の足をふむようなことがあるんだなと思った。そして、あからさまに計画を打ち明けることをためらった。

「ここ、なかなかよくはなくって？」女は、砂糖のころもをつけたひとふさのすぐりをかじりながら、それで真紅にした唇で言った。

「そう。おぼえておきましょう。パリにはなんでもある。田舎みたいなところまで」彼は、からっぽの部屋をしめしながらつけ加えた。「それに、人に出会う危険もないし」

「あたしといるところ、人に見られるとお困り？」

「おやおや！　あなたのために言ってるんです」

女は肩をすくめて見せた。

「あたしのため？」女には、こうして彼がやきもきしていることがおもしろかった。そして、それ以上、進んで何か言いわけをしようとも思わなかった。だから相手から、その目にひそかな不安をこめて問いつめられた彼女は、とうとう打ち明けずにはいられなかった。「幾度だって言えるわ。あたし、誰も遠慮する人なんかいませんの。あたし、つつましく暮らしていけるだけのものを持っていますの。そして、それだけで満足していますの。あたし、まったく自由ですの」

こわばっていたアントワーヌの顔は、いま、いかにも無邪気にほころびていた。それを見ると、女は、彼が《お望みだったら、あたしあなたの物になってよ》といった意味にとっているものと考えた。これがほかの男だったら、女はすぐにも反発したにちがいなかった。だが、女には、彼が気にいっていた。そして、自分がまったく誤解されているのにじりじりするより、彼に求められているということに大きな楽しさを感じていた。

コーヒーがはこばれた。女は、口をつぐんで考えこんだ。彼女としても、ひょっとするといっしょになるかもしれないと考えていないわけではなかった。いましがたも、《あのひげを切らしてやろう》と、思わず考えてみたりしたほどだった。だが、もともと知らない男なのだ。彼にたいしての興味にしても、要するに、これまでほかの幾人もの男にたいしていだいたものと変わりはなかった。それを向こうが誤解して、十二分な自信と食欲とで、じろじろ自分をながめるなんて……

「タバコはどう？」

「たくさん。あたし、きつくないのを持ってますから」

彼はマッチの火を出した。女は、ひと吹きふいて、煙にからだを包ませた。

「ありがとう」

そうだ、最初から誤解のないようにしておかなければ。女は、自分になんらあぶなげのないことが確信されていただけに、それだけざっくばらんに出ることができた。彼女は、コーヒー茶碗を少し前へ押しやり、テーブル・クロースの上にひじをつき、組み合わせた指の上にあごをのせた。煙でまぶたをしかめているので、眼差しは、ほとんど完全に隠されていた。

「あたしまったく自由ですの」と、女は言葉に力をいれて言った。「だからといって、なにもあたし、人さまの自由になれるっていうわけではないのよ。おわかり?」

彼は、ふたたび深刻な顔をした。女はつづけた。

「じつはあたし、人生にしたたかな目にあわされたの。あたし、いつも自由でいられたわけではなかった。二年まえまで、あたし自由じゃなかったのよ。でも、きょうのあたしは自由ですの。そして、その自由があたしにはたいせつなの」(彼女は、自分でも真剣になっているなと思った。)「あたしにとって、それがとてもたいせつですの。そして、二度とそれをなくしたくないと思っていますの。わかって?」

「うん」

沈黙がつづいた。彼は、じっと女の顔をながめていた。女は、茶碗の中のさじをまわしながら、彼のほうを見ずにちょっと微笑した。

「それに、はっきり申しあげておきますわ。このあたしは、ぜんぜんおとなしいお友だちとか、気のゆるせる恋人なんかになれる資格はありませんの。あたし、どんなでたらめでもやってのけたいと思っていますの。どんなでたらめでも。そのためには自分が自由でいなければ。だから、あたしは自由でいたいんですの。わかって？」そして女は、落ちつきはらってやけどをするような熱いコーヒーを、ちびりちびりと飲んでいた。

アントワーヌは、しばらくはがっかりした。すべてはくずれていこうとしていた。だが、女はまだ自分の前にいる。まだなにひとつ失われてはいないのだ。彼には、自分がこれをと思ったものを、あきらめたりした経験がなかった。彼には、敗北という習慣がなかった。いずれにせよ、これで立場ははっきりしたのだ。むなしい夢を描いているより、どれほどましかわからないのだ。気持ちがはっきりわかってしまえば、とるべき方法もあるわけなのだ。彼は、女が自分からのがれ去ったりしないだろうか、いっしょに暮らすことに反対したりしないだろうか、ちょっとのあいだも考えなかった。彼はいつでもこうなのだった。彼はいつでも、目的に到達するだけの自身を持っていた。

いまの彼に必要なのは、女をもっと理解すること、いまなお女を包んでいるこのヴェールを破り去ってしまうことにほかならなかった。

「一年まえまでは自由じゃなかった？」と、彼は明らかに質問的な口調でつぶやいた。「で、いまでは、ほんとに、永久に自由になれた？」

ラシェルは、子供でもながめるように彼をながめていた。つづいて彼女の眼差しは、皮肉な色を帯びてきた。彼女はまるで《お答えすることはしますけど、それも、あたしが、お答えしようと思うからよ》とでも言っているかのようだった。

「あたしといっしょにいた人、エジプト・スーダンに行っちゃいましたの」と、女は説明した。「二度とフランスに帰ってくるようなことはないと思うわ」女は語り終わりながら、しんみりした、軽い笑いをもらし、その眼差しをそらしてしまった。それから、きっぱり言葉を切った。

「出かけましょう」と、立ちあがりながら女が言った。

外へ出ると、女はふたたびアルジェ町のほうへ向かった。アントワーヌは、いっしょに黙って歩いて行った。彼は、これからどうしたらいいかを考えていた。彼はこのまま、女と別れてしまう気にはなれなかった。

ふたりが戸口のところまで帰って来たとき、ラシェルは助け舟を出してくれた。

「デデットを見にいらっしゃる」と、女が言った。そして、落ちつきはらって、さらにこう言った。「でも、それはあたしの考えよ。ほかにご用がおありじゃない？」

そうだった、アントワーヌには、まさにあのパッシーの子供のところへ往診に行く約束があった。それに、けさ病院で先生から渡され、参考文献のところをたしかめておいてほしいと言われた報告書の校正も読まなければ。とりわけ、メーゾン・ラフィットへ晩飯を食いに行きたかった。そこでは、みんなが自分を待っていてくれ、自分としても、ジャックと少し話をするため、あまりおそくならないうちに行きたいものと思っていた。だが、ラシェルといっしょに行けるのだと思うと、すべては煙のように消えてしまった。

「きょうは、一日ひまなんです」彼ははっきり言いきった。そして、彼女を通してやるためにひと足さがった。

仕事をだいなしにしてのけたこと、自分の行動にあらわれたこの変調、そんなことなどほとんど彼の念頭になかった。しかたがない。(とはいえ、彼はほとんど《しめた!》とさえ思いかけていた。)

ふたりは、ひとことも口をきかずに階段をあがって行った。

部屋の前まで来たとき、女は鍵穴に鍵を入れた。そして、くるりとうしろを向いた。その顔には、ぱっと欲情が輝いていた。それは、取りすましたところや隠しだてのない自由で、明朗で、そしてはむかえないほどの欲情だった。

五

パクメルのところから急いで帰ってきたジャックは、家番の口から何か事故があってアントワーヌを呼びに来たもののあることを聞くやいなや、それまでの迷信的な恐怖心はたちまち消えてしまった。だが彼は、喪服を着たいと考えただけで、兄の死ぬことがありうると思いこんだことを思ってくさっていた。それに疔《ねぶと》のために必要だったヨードチンキのびんの見えなくなったことは、彼をすっかりいらいらさせた。そして、いつもおきまりの、また自分自身それを気はずかしく思っているだけさらにたまらない、何かしらとりとめのない腹だたしい気持ちで着物をぬいだ。彼は、なかなか寝つかれなかった。試験の成功も、いまは少しもうれしくなかった。

翌朝、アントワーヌは戸口のところでジャックに会った。ジャックは、兄に会わずにメーゾン・ラフィットへでかけようとしていたところだった。アントワーヌは、手短に、ゆうべ起こったことを話して聞かせた。だが彼は、ラシェルについてはほんのひとこともらさなかった。目は、きらきら輝いていた。そして、引きしまった顔のうえには、なにか殺気だった表情が見られていた。ジャックはそれを、手術に骨が折れたからだろうと考えた。

ジャックが、メーゾン・ラフィットの駅を出たときには、にぎやかに鐘が鳴っていた。べつに急ぐ必要もなかった。チボー氏をはじめ、ヴェーズ嬢、ジゼールなど、ついぞ大ミサを欠かしたことがなかった。したがって、ジャックには、別荘へ行くまでに、あたりをひとまわりするだけの時間があった。公園のなごやかな木陰は、そぞろあるきにはもってこいだった。並木道には、人影がなかった。彼は、ひとつのベンチに腰をおろした。耳にはいるものは、草の中でさやさやいっている虫の音《ね》、また頭の上の木の上から、一羽一羽と飛び立ってゆくすずめのはげしい羽音だけ。彼は、唇に微笑を浮かべ、なにひとつはっきりしたことを考えるでもなく、こうしてここにいることの楽しさを思って、じっと身動きしないでいた。

サン・ジェルマン・アン・レーの森に接した旧メーゾンの地所は、王政復古（一八一四年ナポレオン没落の後をうけたブルボン家が王位を回復し、一八三〇年その失墜に至るまでの間）の時代に銀行家ラフィットの手によって買い取られたもので、ラフィットは、庭になっていた五百ヘクタールの地面を分譲し、自分はただお城だけを取っておいた。だが、彼は、そうした分譲の結果として、自分の屋敷の周囲の豪華な風致がそこなわれないよう、また樹木の伐採が必要やむをえざる場合を出ないよう、あらかじめあらゆる手段を講じておいたのだった。こうしてメーゾンは、彼の心づかいによって、大きな苑囿《えんゆう》として残ることができ、二百年を数える菩提樹の並木道は、たがいのあいだに仕切りのへいもなく、そのうえ、茂みの中にほとんど隠れている一群の小さな所有地のあいだを、堂々とつらぬいて走っていたのだった。

　チボー氏の別荘は、城の東北、白い木柵をめぐらした、小さなしばふの地所の上に建てられていた。そこには、いつも大きな樹木がかげを落としていて、中央のところには、つげの植込みにかこまれた丸い水盤がつくられていた。

　ジャックは、こきざみ足で、そのしばふのほうへ向かって行った。そして、はるかに家が見えはじめるやいなや、入口の柵に寄りかかっている白い着物の人かげを見てとった。彼のくるのをねらっていたジゼールだった。駅への小道のほうを向いていた彼女には、彼の来るのが見えなかった。そこで彼は、たまらなくうれしくなってかけだした。彼女は、彼に気がついて、両腕を振ってみせた。そして、すぐさま、両手でラッパをつくりながらこうたずねた。

「パスした？」

十六になる彼女ではあったが、《おばさん》の許しがない限り、庭から外へは出ることをしなかった。

彼は、じらしてやろうと思って何も返事をしなかった。だが、彼女は、すでに彼の目の中に吉報を読みとっていた。そして、子供のように、すぐその場で飛びはねた。それから、彼の腕の中へ飛びこんできた。

「さあ、さあ、気ちがいじみたまねをするなよ！」と、彼は、いつものように彼女に言った。少女は、笑いながら彼の腕の中から身をふりほどいたかと思うと、ふたたび、からだをふるわせながら飛びついてきた。彼は、その晴れやかな微笑、涙に輝く両眼を見た。彼は、感謝のあまり感動しきっていた。そして、しばらくのあいだ、彼女をしっかり胸に抱いていた。

彼女は笑った。そして、声を落としてこう言った。

「あたし、いろいろ苦心して、おばさんに、あたしといっしょに小ミサに行くようにさせといたのよ。だって、あなたが十時に来るだろうと思ってたから。おじさまは、まだ帰っておいでにならないの。さ、いらっしゃい」彼女は、こう言いながら、彼を別荘のほうへひっぱって行った。

《おばさん》は玄関の奥に姿をあらわした。いまは少し背のまるくなっていた彼女は、せわしない足どりでやって来た。そして、感動のあまり、しきりに頭を振っていた。彼女は、石段のふちまで来ると立ちどまった。そして、ジャックが、自分のとどくところまであがってきたのをみて、人形芝居の人形のような腕をさしのべ、キスをしようとして、あぶなく重心を失いかけた。

「通った？　合格だった？」彼女は、絶えず口の中で何かをかんででもいるように、口をもぐもぐさせながら言った。

「痛い！」と、ジャックは快活に言った。「気をつけて。おできができてて痛いんだから」

「あっちを向いてお見せなさいよ。あらまあ！」そして、おできのほうが、高等師範《ノルマル》の試験などより自分に打ってつけとでもいったように、たちまち合格のことをたずねるのをやめてしまった。そして、いやおうなしに、熱湯で洗ってやり、痛みをとめるための湿布をしてやった。

ちょうど《おばさん》の部屋での包帯がすみかけたとき、木戸についている鈴が鳴った。チボー氏が帰って来たのだ。

「ジャックさん、及第しましたわ！」ジゼールは、窓からからだを乗り出しながら金切り声でさけんだ。いっぽうジャックは、父を迎えるために出て行った。

「おお、おまえか？　何番だった？」と、チボー氏がたずねた。一瞬、ひと目でわかる満足の色が、その青白い顔をいろどった。

「三番でした」

チボー氏は、さらにその賛嘆の気持ちをはっきりさせた。彼は、まぶたを上げなかった。だが、鼻の筋肉はこまかくふるえ、鼻眼鏡は落ちて、それがひもの先にぶらさがった。彼は、息子のほうへ手を出した。

「よしよし、悪くないぞ」父は、ジャックの手を、その柔らかな指のあいだに握りながらつぶやいた。そして、ちょっとためらったのち、気むずかしいようすを見せたと思うと、「なんて暑いこった！」と、つぶやき、それから息子を引きよせてキスをした。ジャックは、心を高鳴らせた。彼は、父をじっと見たいと思った。だが、その父は、すでにくるりと向こうをむいていた。そして、急ぎ足で、石段をあがって行った。父は書斎にはいって、テーブルの上に祈禱書を投げ出し、幾足か歩いた。そして、ハンケチを取り出すと、ゆっくり顔をふいた。

もう昼食のしたくができていた。

ジゼールは、ジャックの席をあおいの花の花束で飾っておいた。それが、この家庭的な食卓に、お祭りとでもいったようなふぜいをあたえていた。彼女は、笑うまいとしても笑いださずにはいられなかった。それほどうれしくてたまらなかった。ふたりの老人のあいだにあって、少女としての彼女の生活にはきわめてきびしいものがあった。とはいえ、とても元気な彼女は、それに負けてはいなかった。幸福を待つということ、すでにそれが幸福なのではないだろうか？

チボー氏は、手をすりあわせながらはいって来た。

「さて」と、彼は、ナプキンをひろげ、食器の両側に握りこぶしをトンとおきながら言った。「これで満足していてはいけないな。われわれの家のものはけっしてばかではない。入学試験に三番だったら、卒業のとき、勉強して、一番になれないはずがどこにある？」彼は、片方の目を細めにあけた。そして、ずるそうにひげをひねった。「進級のときにも、誰か一番になるものがあるんだろう？」

ジャックは、父の微笑にたいして、受け流すような微笑でこたえた。これまでにも、こうした家庭での食事のあいだ、とかく見せかけをする習慣のついていた彼は、そうするため、たいして骨が折れなかった。彼はおりおり、そうしたことをしなれるのをなにか卑屈なことでもあるように思い、われとわが身を責めさえしていた。

「りっぱな学校を首席で卒業する」チボー氏は言葉をつづけた。「兄さんに聞いてみるがいい、それは、おまえに一生ついてまわるのだ。それから先は、どこへ行っても、人々から尊敬される。ときに、兄さんは元気かな?」

「昼食のあとで、やって来るって言ってました」

ジャックには、シャール氏の身辺に起こったことを父の耳に入れようなどとは、考えてさえもいなかった。みんなは、チボー氏を中心にして、申し合わせたように黙り込んでいた。みんなは、たといどんなことでもあれ、彼の耳に入れるような不注意はもう犯すまいと気をつけていた。というのは、力に満ち、活力にあふれた彼は、ほんのちょっとしたことからどんな結論を引きだすかもしれなかったし、あるいはまた、手紙を出すとか訪問するとか、あらゆる手段によってその事件の中に割ってはいり、それを紛糾させないものでもなかったから。

「あんたは、けさの新聞に、ヴィルボーの協同組合の破産のことの出ていたのをごらんだったかな?」と、チボー氏は《おばさん》にたずねた。そういう彼は、《おばさん》が、ついぞ新聞を手にしたことのないのを知っていた。ところが彼女は、はっきりした肯定のようすでこれに答えた。チボー氏は、ちらりと冷たい笑いをもらした。それから彼は黙り込んだ。そして食事が終わるまで、会話に興味を失ったとでもいうようだった。思うようにいかなくなった聴覚のおかげで、彼は、日ましに孤独になっていた。彼は、食事のあいだじゅう、まるですもう取りのそれといったような胃袋の求めるままにたらふく詰め込みながら黙りこみ、じっとひとりで考えこんでいることがしばしばだった。だが、それは、なにかしらむずかしい事件のことをじっくり思いめぐらしていてのことなのだった。うわべをあざむく無表情にしても、じつは獲物を待ち伏せる蜘蛛のそれとおなじだった。彼は、ふとした思いつきで、事務上の、または社会上の問題について、何かいい解決のあたえられるのを待っていた。それに、これまでの彼の仕事ぶりというのが、いつもこういうふうだった。彼は受動的で、化石したようになって、目をなかばとじ、ただ頭だけをはたらかせていた。この偉大な事業家は、ついぞメモを取らなかった。演説するときも、けっして原稿をつくらなかった。何から何まで、そのきわめて微細な点にいたるまで、彼の不動な頭脳の中で組み立てられ、あやまることなく、そこに彫りつけられていたのだった。

《おばさん》は、彼のまむこうにすわり、給仕に心をくばりながら、テーブル・クロースの上にかわいい両手を組み合わせていた。まだ美しい彼女の手、彼女は、それに、(誰も知らないと思いながら)キューカンバーのポマードで手入れをしていた。彼女は、ほとんど何も食べなかった。デザートには、一碗の牛乳とビスケットが出た。彼女は、そのビスケットを、年寄りの冷水で、牛乳にひたさずにかじっていた。いまでも、ねずみのような歯をしていたから。彼女はいつも、みんながどうも食べすぎるように思って、姪の食べるのを、じっとそばから見張っていた。だが、この日の彼女は、ジャックのため、その原則をふみはずしていた。そして、デザートのあとで、こんなことさえ言ったのだった。

「ジャックさん、わたしのこしらえた新しいジャムを食べておくれだね？」

「《味は上々、消化は完全》」ジャックは、ジゼールのほうへまばたきをしてみせながらつぶやいた。この古風なしゃれによって、彼らは、薄荷ボンボンの袋のこと、そして、子供のころ、大笑いしたことを思いだし、子供のように、涙の出るほど笑いこけた。

チボー氏の耳には、何も聞こえなかった。だが、彼は、上きげんらしく微笑していた。

「わんぱくさんたらありゃあしない」と、《おばさん》が言った。「それより、ほら、どんなによく固まったか見てごらん！」蠅が、たかろうとしてもたかれずにいるモスリンの布をかけた小テーブルの上には、ルビーのようなジェリーが五十ばかり、ラム酒につけた丸い紙をかけてもらうのを待っていた。

食堂はふたつのポルト・フネートル（窓のように、ずっと下までガラス張りになったドア）によって、花の咲いた植木箱のおいてあるヴェランダへ向かってひらいていた。日の光は、おろしてあるすだれにそって、目をくらますような光のしまをゆかの上に落としていた。レーングロード（梅の変種）のはいったコンポチエ（砂糖煮の入れ物）のまわりには、雀蜂が一匹うなっていた。そして、家全体が、真昼の愛撫をうけて、雀蜂といっしょに、ごろごろ咽喉《のど》をならしてでもいるようだった。ジャックは、あとになってこの日の食事のことを思いだし、高等師範《ノルマル》へはいれたのが、あのときばかりはちょっとうれしかったな、と考えた。

興奮し、うれしくはあっても、いつものように黙りこんでいたジゼールは、なんという目的もなく、わけありげな眼差しを、ちらりと彼とかわしていた。そして、ジャックがちょっとなにか言うと、たちまち花火のような快活さを見せた。

「おお、ジゼール、なんていう口をするんです！」と、《おばさん》が声をふるわした。彼女には、ジゼールが口を大きくあけ、厚ぼったい唇を見せるのがいつもがまんできなかった。それに、ちょっとちぢれている黒い髪の毛、低い鼻、熱い感じのする小麦いろの顔など、どうもがまんができなかった。それらは、彼女の思っている以上に、ジゼールの母親を、すなわちヴェーズ少佐がマダガスカル滞在中にめとった混血児のことを思いださせずにはいないのだった。そうしたわけで、彼女は、おりあるごとに、ジゼールに父かたの祖先たちのことを思いださせた。「わたし、あんたくらいの年ごろには」と、彼女は微笑しながら言った。「わたしのおばあさまね、スコットランドふうの肩掛けをしたおばあさまは、わたしに小さい口をさせようと思って、つづけざまに百ぺん、こうくり返してお言わせになったものさ。《Baillez-nous, ma mie, deux tout petits pruneaux de Tours.（《どうかください、トゥールの小さな梅の実をふたつ》の意。この後半、フランス語では口を小さくしないと発音できない）》」彼女は、しゃべりながら、ナプキンをひろげて網がわりにして、さっきの雀蜂をつかまえようとした。そして、逃げられてしまうたびに、明るい笑い声を立てていた。つまり、この愛想のいい老嬢には、すこしも陰気らしいところがなかった。生活の苦労にしても、彼女の朗らかな、人を誘いこまずにはいないような若々しい笑いを少しも変えたりさせなかった。「そのおばあさまはね」と、彼女は言葉をつづけた。「トゥールーズで、総理大臣のヴィレル子爵さまとダンスをなさったことがおありなのさ。もし今日《こんにち》おいでだったら、ずいぶんおなげきになるだろう。なにしろ、大きな口と大きな足が、とてもおきらいだったんだから」《おばさん》は、自分の足についてはなかなかのおしゃれだった。それは、まるで生まれたての赤ん坊の足とでもいうようだった。そして彼女は、いつも、先を四角にした、布の上靴をはいていた。指の形がくずれないようにと思ってだった。

三時になると、みんな晩禱に出かけ、家の中はからになった。

ひとりあとに残されたジャックは、自分の部屋へあがって行った。

それは、三階の屋根裏ふうの部屋だった。だが、部屋は広く、ひんやりしていて、壁には、花模様の壁紙がはられていた。見はらしはかぎられていたが、それをかぎっているのは二本のマロニエのこずえで、そのもやもやした茂みは、見ていて気持ちのいいものだった。

テーブルの上には、辞書とか、言語学汎論などが散らかったままになっていた。彼は、それらすべてを戸棚の下のほうへ投げ入れて、ふたたび机の前に腰をおろした。

《おれはいったい子供なんだろうか、それともおとななんだろうか？》と、彼はとつぜん考えた。《ダニエル……そうだ、彼は別だ。ところでおれは……おれはいったいなんだろう？》彼には、自分というものが、ひとつの世界のように思われた。矛盾だらけなひとつの世界。ひとつの混沌、無尽蔵なひとつの混沌。あっけにとられたように、マホガニーのテーブルの上をながめながら、ひろびろとした自分自身の心の中を考えて微笑した。彼は、そのテーブルの上のものを、さっきすっかりはらい落としてしまっていた……いったいなんのために？　そうだ、彼にはけっして計画が不足してはいなかった。幾日かまえから、彼は毎日、なにかしようという誘惑をしりぞけつづけてはいなかったろうか？《すべてはパスしたうえでのこと》と、彼は思っていた。ところがいま、たちまち目の前にこうした自由が展開されてみると、彼には、何ひとつ、こうした自由を用いてなすに値するものがありそうに思われなかった。『二青年の話』も、『炎』も、また『思わぬ告白』にしてさえ！

彼はテーブルの前を離れた。そして幾足か歩いて、書棚のところへ行き、いずれひまになったら読もうと思って集めておいた書物の棚――そのあるものはすでに去年からのものだった――をかぎまわったあとで、さて心のうちで、なにを一番さきに読もうかと考えながら、つんと唇をとがらせた。そして、何も手にせずに、どかりとベッドに身を投げだした。

《本なんかたくさんだ、理屈もたくさんだ、言葉もたくさんだ！》と、彼は思った。《Words! Words! Words!》（シェークスピア『ハムレット』の中のせりふ、《言葉、言葉、言葉！》）彼は、なにかしらとらえがたいもののほうへ腕をのばした。そして、あぶなく涙が出そうになった。《おれは、こうして……生きることができるだろうか？》と、彼は、たまらないような気持ちで、おのが心にたずねてみた。そして、ふたたびこう思った。《おれは、まだ子供なんだろうか？　それともおとななんだろうか？》

はげしいあこがれが、彼の全身を押しあげた。それは苦しいほどのものだった。彼にはとても、自分が運命に求めているものを口に出しては言えそうもなかった。

《生きるんだ》と、彼はくりかえした。《行動だ》そして、さらに《愛するんだ》と言いそえてから、目をとじた。

一時間すると、彼は起きあがった。うとうとしていたのだろうか？　それとも、寝てしまっていたのだろうか？　彼は、窮屈そうに頭を動かした。首筋のところがぴりぴりしていた。なんというわけもない倦怠と、力の過剰による喪神状態、それがいまや、あらゆる活動的な気持ちをさまたげ、あらゆる思念を暗くさせていた。彼は、目を放って部屋の中を見まわした。まる二カ月というもの、この家の中で停滞しているのか？　それでいて、彼には、自分が今年、何か神秘な運命によってここに結びつけられているのだといった感じ、ほかへ行ったら、それがどこであろうと、もっとたまらない目にあわなければならないといったような感じがしていた。

彼は、窓のそばへよって、ひじをついた。そのとたん、いままでの悲しみは消えてしまった。マロニエの下枝をとおして、ジゼールの着物が、一点明るく見えていたからだった。彼女のそばにいさえしたら、自分の若いということ、自分の生きてゆくということにたちまち興味が持てそうだった！

彼は、ジゼールの不意をついてやろうと思った。ところが、相手は、聞き耳をたてていたのか、それとも、読書に気がのっていなかったのか、うしろに忍び足を聞きつけると、くるりとこちらをふり向いた。

「そうら、失敗した！」

「なにを読んでるの？」

彼女は、答えようとしなかった。そして腕を組み、胸に本をだきしめた。ふたりは、ふっとわいたおもしろずくの気持ちから、たがいに張り合う気持ちになっていた。

「ひのふのみ……」

彼は、安楽椅子をひっくりかえした。そして、少女を草の上にころがしてしまった。彼女は、それでも本を放さなかった。そして彼は、彼女のしなやかな、あたたかい肉体としばらくのあいだあらそったすえ、ようやく本を取り上げた。

「『サヴォワの子。第一巻』ふん！　こいつ何巻もあるのかい？」

「三巻よ」

「それはいい。おもしろいかい？」

彼女は笑った。

「だってあたし、第一巻さえ読みきれないの」

「では、なんだって、こんなものを読んでるんだ？」

「手あたりしだいというわけなの」

（《おばさん》は、こうした事実をいくたびとなく見せられていたので《ジゼールは、本を読むのがたいして好きではないんですよ》と、言っていた。）

「ぼくが本をかしてやろう」ジャックは、彼女の反抗とわがままとをけしかけてやろうと思ってこう言った。

ジゼールには、それが聞こえなかったようだった。

「も少しいてよ」と、彼女は、しばふの上に横になりながらたのんだ。「そら、あたしの椅子に腰をかけて。でなければ、ここへすわったら?」

ジャックは、彼女のそばに横になった。ふたりのいるところから五十メートルばかり離れたあたり、箱植えのオレンジを並べた盛土の中央に建てられた別荘のま上には、日がかんかん照りつけていた。だが、木かげにいると、草はやっぱりひんやりしていた。

「で、あなた、ひまになったのね? すっかりひまに?」彼女は、何かぎごちないところのある、陽気なちょうしでこうたずねた。「これからなにをするつもり?」そして、唇を少しあけたまま、じっと彼のほうを向いていた。

「どうしてさ?」

「そうなのよ。向こう二カ月ひまがあるんでしょう? あなたどこかへ出かけるつもり?」

「どこへも」

「ほんとに? では、しばらくみんなといっしょにいる?」と言った彼女は、まるい、きらきらした、やさしい犬のような目を、はじめて彼のほうへ上げてみせた。

「そうなんだ。ただし、十日には、友だちが結婚するんで、トゥーレーヌまで行かなければならない」

「それからは?」

「わからない」彼は、向こうをむいてしまった。「休み中、メーゾンにいようかと思ってるんだ」

「ほんと?」彼女は、ジャックの眼差しをとらえようと、身をよせながらこうつぶやいた。

彼は、これほど彼女を喜ばすことのできたうれしさを思って微笑した。そして二カ月のあいだ、この純真でやさしい少女、自分がまるで妹のように、いな妹以上に愛しているこの少女のそばで暮らすことを考えて、そこになんらの不安をも感じなかった。いままでいつも、誰からも喜ばれなかったらしいこの自分、そうした自分の来たことが、これほど少女の生活を明るくすることになろうとは、思ってさえもいなかった。彼は、こうした発見のできたことをしみじみ彼女に感謝しながら、草の上に投げ出された彼女の手を取り、それをやさしくさすってやった。

「柔らかいんだなあ。きみもキューカンバーのポマードをつけてるのかい？」

彼女は笑った。そして、身をずらして近づいてきた。それを見たジャックは、彼女のからだがどんなにしなやかであるかに気がついた。彼女には、若い動物に見られるような、いかにも自然な、そして、じゃれつくような肉感があった。そして、咽喉《のど》でする彼女の笑いには、それが子供らしいばか笑いを思わせないときは、恋になやむ鳩が咽喉を鳴らしているようなおもむきがあった。ところで、豊満な彼女の肉体には、彼女自身にもはっきりわからないさまざまな欲情がふるえていながら、しかもそこには、純真無垢な処女の心がのびのびと息づいていたのだった。

「おばさんが、今年はまだテニス・クラブに行ってはいけないって」彼女は、顔をしかめてそう言った。「あなた、クラブへ行く？」

「行くもんか」

「自転車の散歩は？」

「さ、そいつはやろうと思ってる」

「まあうれしい！」と、彼女はさけんだ。その眼差しは、いつでも何かびっくりするようなことを見つけてでもいるようだった。「ねえ、おばさんは、あなたとだったらいっしょに出してくれるって約束したの。行ってくれる？」

彼はちょっとのあいだ、彼女の、深い、きらきら光っているひとみをながめた。

「きれいな目だなあ。ジゼール」

彼は、彼女のひとみの色が、ちょっとした心の動揺によって、とつぜん深みをましたように思った

彼女は、微笑を浮かべながら、くるりと顔をふり向けた。彼女にあって、まず第一に人の目をひくなにかしら快活な陽気なものは、単に眼差しの輝きだけによってでなく、いつも動いてやまぬふたつのえくぼの戯れによってもしめされていた。えくぼの影は、たえず唇のはしにきざまれていたが、それはさらに、まるまるとした頬骨のあたり、まるくなった鼻の先のあたり、わんぱくらしくつき出ているまるいあごのあたり、そして、健康と上きげんとに息づいている肉付きのよい顔全体にまで輝いていた。

彼女は、自分の言った言葉に、彼がなんとも返事をしないのが心配になってきた。

「行ってくれる？　え？」

「なにさ？」

「森へつれてったり、それでなければ、また去年のように、マルリーへつれてったりしてくれる？」

彼女は、ジャックから、承諾のしるしに微笑してもらえたので、たまらなくうれしかった。そして、

うれしさのあまり、身をすりよせ、キスをした。ふたりは、あお向けにならんで寝そべりながら、目は、木々がこんもりと枝さしかわしている、その深いあたりを追っていた。

ふたりの耳には、噴水の水の音、広場の池のまわりにがやがや鳴いているかえるの声、そして、ときおり、庭の柵にそって、そのあたりを歩いて行く人たちの声が聞こえていた。日がら一日、べとべとしたうてなを日の光に焼きつけられていたペチュニアのにおいが、ヴェランダの植木箱から重く立ちのぼり、暑苦しい空気の中にただよっていた。

「ジャック、あなたはずいぶん変だわね。いつもなにか考えこんでる！　いったい何を考えてるのよ！」

彼は、ひじをついて身を起こし、じっとジゼールの顔をみつめた。そして、いささかしめりを帯び、驚きのためになかばひらかれた彼女の唇を見た。

「きれいな歯をしてると思ってたんだ」

彼女は、顔もあからめず、ただ肩をすくめてみせた。

「だめよ、あたしまじめに言ってるのよ」と、彼女は、子供らしい口調で言った。

彼は笑いだした。

鹿の子《かこ》色の光にふくれかえった蜜蜂が一匹、ふたりのまわりを飛びまわっていた。それは、まるで羊毛のぼたんばけのようにジャックの顔にぶつかりにきた。それから、地面へ向かって、まるで打穀機のようにうなりながら、しばふの穴へ飛び込んでいった。

「それにぼくには、あの蜜蜂がきみに似てるように思われるんだ」

「あたしに？」

「うん」

「なあぜ？」

「わからない」と、彼はふたたびあお向けになりながら言った。「きみみたいに、黒くって、丸いじゃないか。それに、あのうなりは、きみの笑うときによく似てらあ」

真剣なちょうしで言われたこの言葉に、ジゼールは、深く考えさせられたらしかった。

ふたりとも黙りこんでいた。影はいま、赤ちゃけたしばふの上に、斜めに長く伸びていた。そして、日の光がまだその顔までとどいていたジゼールは、頬にたわむれ、まつげをとおしてちかちか目を刺している木もれ日にくすぐられながらも、も一度笑いださずにはいられなかった。


木戸の鈴が、アントワーヌのやって来たことを知らせたとき、そして、小道のはずれに兄の姿が見えたとき、ジャックは、あらかじめそうしようと思っていたかのように、パッと立ちあがり、兄のほうへ駆け出していった。

「兄さん、今夜帰る？」

「うん、十時十二分で」

ジャックは、アントワーヌの顔に見られる疲れきった表情よりも、その顔に見られる、なにかしらいつもとちがった、ほとんど好戦的といったような輝きによって、あらためて注意を引きつけられた。

彼は、声を低めて言った。

「兄さん、晩ご飯がすんでから、ぼくといっしょにフォンタナン夫人のところへ行ってくれない？」彼は、兄がためらうらしいのを見てとって、兄を見るのをやめ、口早につけ加えた。「ぼく、どうしてもたずねなければならないことがあるんだ。だが、あしたぼくひとりで行くのはかなわないんだ」

「ダニエル君は来ているのかね？」

ジャックは、彼がたしかに来ていないことを知っていた。だが、

「もちろん」と、答えてしまった。

ふたりは、チボー氏が、新聞のひろげたのを手にして、客間の奥に姿をあらわしたのを見て口をつぐんだ。

「おお、来たか！」と、チボー氏は、アントワーヌに向かってさけんだ。「よく来たな」彼は、アントワーヌに向かって、いつも一目おいて口をきいていた。「外にいるがいい。いま出て行くから」

「では、いい？」と、ジャックはささやくように言った。「晩飯のあとで、散歩に行くっていう口実で？」

チボー氏は、今後フォンタナン家と付き合ってはならんとジャックに申し渡したことを、その後二

度と口にしなかった。みんなも用心して、その呪わしい名を、彼の前では口にしなかった。彼ははたして、自分の言いつけが久しいまえから破られているのに気がつかずにいたのだろうか？ それは誰にもなんとも言えない。彼にあっては、父親としての自尊心がまったく彼を盲目たらしめていた。そのため彼は、自分がたえず裏切られていることなど、考えてさえいないにちがいなかった。

「うん、合格してくれてな！」チボー氏は、ずっしりした足取りで、石段をおりて来ながら言った。「これで、われわれも安心できたというものだ」彼は言葉をつづけた。「晩飯までに、しばふをひとまわりしてこようじゃないか」そして、いつもとちがってこうした申し出《い》でをするわけを説明しながら「じつは、ふたりに話しておきたいことがあってな。だが、はじめにちょっときいておくが」と、アントワーヌのほうを向いて「おまえ、夕刊を読んだかな？ ヴィルボーの破産事件について、なんと書いてあるな？ 読まなかったか？」

「あの協同組合のことですか？」

「そうなんだ。とんだボロを出してしまった。事の起こりは背任行為だ。たいしてまえからのことではなかった」彼は、せきをするといったような、かさかさした、小さな笑い声を立てた。

《なんというはげしいキスだったろう》と、アントワーヌは考えていた。彼は、あのレストランでのこと、自分の前に腰をかけ、ゆかすれすれの窓から射し込む光に、まるで舞台にでもいるように下から照らされていたラシェルのことを思いだしていた。《それにしても、ミクスト・グリルは、と聞いたとき、どうしてあんな変な笑いかたをしたんだろう？》

彼は、父の話に興味を持とうと努力した。しかも彼は、チボー氏が、今度の《不始末》に、こうも平気でいられることがふしぎに思われてならなかった。というのは、チボー氏は、ヴィルボーのボタン職人たちがストライキをやったあと、資本家なしでりっぱにやっていけることを立証するひとつの生産的協同組合を作ることになったとき、その職人たちに資金の融通をしてやった会社の一員にほかならなかったからだった。

チボー氏は、すでに長広舌をはじめていた。

「思うに、これは大義名分のためのむだ金ではなかったのだ。われわれの態度はりっぱだった。われわれは、労働階級のユートピアをまじめに受けとり、われらの資本で、彼らを率先して助けてやった。ところが、結果はどうだった、わずか十八カ月たらずで破産してしまった。ところで、労働者代表とわれわれとのあいだに、ひとりのりっぱな仲介者がいたことを忘れてはならない。そうだ、おまえもよく知っている」と、彼は立ちどまり、ジャックのほうへ身をかしげながら言葉をつづけた。「フェーム氏だよ。おまえがあそこにいた時分、あのクルーイにいた！」

ジャックは答えなかった。

「彼は、職人代表たちの首根っこをおさえている。彼らから、われわれに軍用金を頼んできた手紙をにぎっているのだ。そうなんだ、ストライキが危機に際したときの彼らからの手紙だ。だから、いまとなっては、誰ひとりじたばたできんだろう」こう言って、彼はふたたび満足そうなせきばらいをした。「そうそう、こんなことの相談をしようと思っていたのではなかった」と、彼は、ふたたび歩きだしながら言葉をつづけた。

彼は、前かがみになり、両手を背中にまわし、モーニングの胸をあけて風にはたはたさせながら、たちまち息を切らし、砂の上に足を引きずりながら、重そうな足どりで歩いていった。ふたりの息子は、何も言わず、彼を両側からかこんで歩いていた。そして、ジャックは、かつてどこかで読んだことのある言葉を思いだしていた。《ふたりの人に会う。ひとりは老人、ひとりは若者。そしてふたり並んで歩きながら、たがいになんの話題も見つけられずにいる場合、わたしには、それが父と子であることがわかるのだ》

「じつは」と、チボー氏は言った。「わしがおまえたちのために考えついたひとつの計画のことで、おまえたちの意見が聞きたいのだ」そう言う彼の声には、いつもとちがった沈鬱な感じ、何かしら真剣なちょうしがうかがわれた。「おまえたちふたりも、このわしくらいの年になれば、人間は、なんと言っても自分のしたこととの限界を考えるものだということがわかってくるだろう。わしは――これは、ヴェカール神父がいつも言っておられることだが――よきことをなそうというあらゆる力は、すべておなじ目的に向かって集まり、そうした力が、たがいに加算されていくものだということを知っている。だが、個人の一生だけの努力だけでは、それが、ひとつの世代の、人に知られぬ沖積層の中に埋もれてしまうのだと考えて、なさけなくもなってこようじゃないか。父として、せめてその子供たちに、自分についての個人的な思い出を持っていてもらいたいとねがうことが、当然なことではないだろうか？　せめて、子供たちの、手本というだけの意味においても」彼はためいきをついた。

「率直なところ、わしは、わし自身のことより、むしろおまえたちのことを考えたのだ。わしの息子として、将来のおまえたちにとって、フランスのほかのチボー家を名のるやつらといっしょにされないほうがたのしいだろうと思ったのだ。われらの背後には、まさに二世紀にわたってりっぱにやってきた庶民生活が横たわってはいないだろうか？　これはたしかになにものかだ。わしは、わしのやりかたによって、この尊敬すべき家名を上げたという自信を持っている。そして、わしには——つまり、これがわしにとっての報酬なんだが——人々に、はっきりおまえたちの家柄を知ってもらう権利、おまえたちにわしの名をつけてもらい、それを後のち、わしの血筋から生まれるものに、少しもいためずに伝えてもらうという権利がある。内務省も、そうした希望を持つもののことを考えていた。そこでわしは、数カ月このかた、おまえたちの戸籍変更に必要なあらゆる手続きをすませたのだ。もう少しすると、おまえたちのめいめいに署名してもらわなければならない書類ができてくる。そして、わしの考えたところでは、新学期早々——おそくもクリスマスごろには、おまえたちに、法律上、そんじょそこらのチボー家の人たち、単にチボーと呼ばれる連中といっしょにされずに、まん中に棒を入れたオスカール＝チボー——たとえばドクトル・アントワーヌ・オスカール＝チボーの名によって呼ばれる権利が生まれてくる」彼は、手を組んでそれをこすりあわせていた。「話というのは、このことだった。礼を言ってもらうにはあたらん。もうこの話は、これだけにする。そして、帰って晩飯にしよう。ほら、《おばさん》があいずをしている」彼は、族長のやったように、息子たちのおのおのの肩の上に腕をかけた。「こうした区別をさせることから、おまえたちの将来に、さらに何か利益があったとしたら大いにけっこう。正直なところ、現世になにひとつ求めなかったひとりの男が、子孫たちを、自分の勝ち得た尊敬にあずからせてやるということ、それは正しいことではないだろうか？」

彼の声はふるえていた。彼は、感動しまいと思って、とつぜん、みんなで歩いていた小道を離れ、ひとり、急ぎ足で、しばふのあいだをよろめきながら、別荘のほうへ帰って行った。アントワーヌもジャックも、これほど取りみだした父を見たのははじめてだった。

「すばらしいことを考えついたもんだな！」と、アントワーヌはつぶやいた。彼は、それに満悦していた。

「よしてもらおう！」と、ジャックが言った。彼は、兄のきたない手で、自分の心にさわられでもしたように感じた。ジャックは、ほとんどいつも、一種の尊敬をもって父のことを口にしていた。彼は、父を批判することを避けていた。彼の明察が、たまたま父に反対して動くようなことがあっても――しかも多くの場合、それは彼自身そうしようと思ってのことではなかった――彼はそれをつらく思っていた。ところが、きょうの夕方、彼は、わが名をこうして後世にのこそうという父の欲求の中に、なにかしら不安なものの貫いているのを感じて、痛ましい思いに心を打たれていた。彼自身、まだ二十歳の身だというのに、いま、死というものを考えたとき、とつぜん気のめいるような思いを禁じることができなかった。

《なんで兄きをさそったりしたんだろう？》ジャックは、それから一時間の後、兄といっしょに、お城から森のほうへ通じる、両側に何百年というシナの木の立ち並んでいる並木道を歩きながら、心の中で考えていた。あいかわらず、首筋のあたりが痛んでいた。《おばさん》は、むりやりアントワーヌに彼のできものを診察させた。兄に、ジャックがいやがるのもかまわず、どうしてもメスで切ったほうがいいと言った。ジャックとしては、包帯をして外へ出ることがたまらなかった。疲れてはいながら、あいかわらずおしゃべりをつづけているアントワーヌの頭の中には、ただラシェルのことだけしかなかった。きのう、この時刻には、彼はまだラシェルを知っていなかった。それがいま、ラシェルは、彼の生活の一刻一刻の中にいるのだった。

彼の興奮は、この平和な一日のあと、そして、とりわけいま、この道の上、これからまさに例の訪問に出かけようとしているジャックの感情と、はっきりした対照を見せていた。この訪問は、ジャックの心に、ときおり、希望によく似た、なにかしらとりとめのない感激をそそりたたせていた。彼は、アントワーヌと並んで歩いていた。彼には、自分というものが、不服の多い、疑い深い人間のように思われた。彼は、きょうの午後、兄にたいして、なにかしら本能的な偏見といったようなものを感じていた。それは、口にこそ出さなかったが、そしてふたりのあいだの会話がいつもとおなじように打ちとけたものだったにかかわらず、彼をして一種の沈黙の中に閉じこもらせていた。事実、ふたりは、ちょうどシャベルで土塊《つちくれ》を投げあい、たがいの陣地のあいだに防御施設をこしらえようとしているかたき同士といったように、おのおの自分の前に、言葉とか文句とか微笑とかを投げ合っていたのだった。もちろんふたりは、こうした掛け引きのことにたがいに気がつかないでいたわけではなかった。友愛は、ふたりのあいだに微妙な感性を作り上げていて、ふたりは、なにひとつ重大なことを隠し合うことができなくなっていた。おそ咲きのシナの木のかおりをほめているアントワーヌのちょっとした言葉の抑揚は——それは、彼をして、こっそり、ラシェルのかぐわしい髪のにおいを思いださせるものだった——はっきりそれとつかめないながらも、ほとんど打ちあけ話に匹敵するほどの意味をジャックに伝えていた。そして、アントワーヌが、心の悩みにたえきれず、ジャックの腕をつかみ、歩調をぐっと速めながら、ふしぎな夜あかしをした話、それに引きつづくいろいろなできごとの話を聞かせたとき、ジャックはほとんど驚いたりもしなかった。アントワーヌの話のちょうし、その笑い、おとならしい態度、彼が平素兄らしいつつましさを見せていただけに、それと対照してのあまりのあくどさ、それはジャックの心に、いままでにない不愉快な気持ちをそそり立てていたのだった。彼は、落ちついた態度を持し、微笑しながら、頭で賛成の意味をあらわしていた。それでいて、彼は苦しんでいたのだった。彼は、兄にたいして、自分にこんな苦しみをさせることをうらんでいた。彼はアントワーヌにたいして、アントワーヌみずから、こうした非難の気持ちを自分に起こさせるということがゆるせなかった。そして兄が、この十二時間以来の陶酔状態をにおわせばにおわすだけ、ジャックは、ますます毅然とした抵抗の中にとじこもっていた。そして、心の中に、あくまで純真でいようとする欲望のわきあがって来るのを感じていた。たまたまアントワーヌが、その日の午後を呼んで《愛のひと日》と言ったとき、彼はがまんできなくなっておどりあがった。そして、兄に向かって反抗した。

「ちがう、兄さん——ちがう！　愛とは、そんなものではないんだ！」

アントワーヌは、自信ありげなようすで微笑した。だが、なんとしてもちょっとおどろいたようすで、そのまま口をつぐんでしまった。

フォンタナン家は、公園のはずれ、森に近く、昔の城郭のへいに接して、フォンタナン夫人がその母から相続した古い住まいを持っていた。ほとんど通る人がないため、いつも背の高い草のしげっているアカシアの並木道が、庭の土塀につくられた小さな門と、大通りとのあいだをつないでいた。

ふたりが門をはいったとき、おりから夕やみがせまりかけていた。鈴が鳴った。そして、庭のはずれ、すでにいくつかの窓が輝きはじめているその家の近くで、ジェンニーの犬のピュスのほえているのが聞こえた。家の人々は、食事をすますと、家のあちらがわに出ることにしていた。そこは、二本のプラタナスの陰になった地面で、それはずっとテラスになっていて、かつてソ・ドゥ・ルー(土塀の代わりに眺望を妨げぬため、みぞでつくった庭のかこい)として作られた濠《ほり》の上へのぞんでいた。一台の自動車が、じっと動かぬ巨体で道をふさいでいた。ふたりは、それをまわって行かねばならなかった。

「お客さんだな」と、ジャックがつぶやいた。とつぜん、彼にはやって来たことが後悔された。

だが、はやくもフォンタナン夫人がふたりを迎えに姿を見せた。

「たしかにそうだと思いましたわ！」と、彼女は、ふたりの姿を見るなりさけんだ。彼女は、両手をひろげ、愛想のいい微笑を浮かべながら、うれしそうに小走りで近よって来た。「けさ、ダニエルから電報がきて、とても喜んでいましたのよ」（ジャックは身動きもしなかった。）「でも、わたしには、あなたが合格なさることがちゃんと《わかって》いましたの」と、夫人は、真剣にじっとジャックを見つめながら言った。「あなたがダニエルといっしょにお見えだったあの六月の日曜日、わたしの胸には、何か虫の知らせといったようなものがありましたの。おお、ダニエル！　あの子も、どんなにうれしがり、得意になったことでしょう！　そして、ジェンニーも、とてもうれしがっていましたわ！」

「では、ダニエル君は今夜おいでではないんですか？」と、アントワーヌがたずねた。

ふたりは、まるい安楽椅子の並んでいるところまでやって来た。そこでは、さかんに話がはずんでいた。ジャックはすぐに、ほかのいろいろな声の中から、特別な響きを持ったひとつの声、よく響きはするが、それでいてちょっと含み声に聞こえるジェンニーの声を聞きわけた。彼女は、いとこのニコルと、それに四十かっこうの男の人のそばに腰をおろしていた。アントワーヌは、その男の人のほうへ、びっくりしたように歩みよった。それは彼が、かつてネケール病院で同僚だったひとりの若い外科医だった。ふたりは、共感の心をこめて、たがいに手と手を握り合った。

「あら、ご存じでして？」と、フォンタナン夫人はうれしそうに声をあげた。「チボーさんご兄弟は、ダニエルの親友でいらっしゃいますのよ」と、彼女はドクトル・エッケに説明した。「おふたりにすっかりお話ししてもいいでしょう?」それからアントワーヌのほうを向いて「ニコルとのいいなずけのことなんですの。ねえ、ニコルちゃん、お話ししてよくってね? まだ公にしてはいませんの。でも、ニコルちゃんてば、もういいなずけのかたをおばさんのところへつれて来たりするんですもの。ふたりを見たら、秘密はわかってしまいますわね!」

ジェンニーは、兄弟を迎えに立って来なかった。そして、ふたりが前に来るのを待って、はじめて腰を上げた。そして、ふたりと冷たい握手をかわした。

「ニコちゃん、いらっしゃいな、あたしの鳩を見せてあげるから」彼女は、みんなが腰をおろすよりさきに、ニコルに向かってそう言った。「小ちゃいのが八羽いるのよ。それが……」

「それが……まだお乳を吸ってる?」と、ジャックが言った。それは、磊落《らいらく》さをねらって口にした言葉だった。だが、それはただ無愛想と無作法とをしめしたに過ぎなかった。彼も、たちまちそれに気がついた。そして、両あごをキッと食いしばった。

ジェンニーには、それが聞こえなかったようだった。

「……飛びはじめたのよ」と、彼女は言葉を結んだ。

「だって、いまじぶん、みんなもう寝ているころよ」と、フォンタナン夫人は、彼女を引きとめようとして言葉をはさんだ。

「なおいいわ、ママ。昼間のうちはそばへ寄れないんですもの、フェリックスさんもいっしょにいらっしゃる?」すでに、アントワーヌと話をはじめていたドクトル・エッケは、すぐさまふたりの娘のほうへ出かけて行った。

「とてもすばらしいご夫婦ですわ」と、フォンタナン夫人は、いいなずけ同士が遠ざかるやいなや、アントワーヌとジャックのほうへ身をよせながら言った。「ニコルは、財産といっては一文もないんですけど、自分では誰の迷惑にもなりたくないとしっかり考えていたんですの。三年このかた、あの子は看護婦になって生活していました。ところが、とてもすばらしいおむくいがあったんですの！　ドクトル・エッケが、ひとりの患者さんのまくらもとであの子にお会いになりましてね。あの子のことを、とてもりこうだ、とてもいっしょうけんめいな女だ、人生にたいする態度もしっかりしているとお思いになって、あの子を好きにおなりでしたの。そして、たちまち話がまとまりました！　いかが？　すてきな話じゃありません？」

そこには高貴な感情だけが見いだされ、ただ徳操の勝利が語られているこうした物語の小説的な部分を、夫人は、いかにも無邪気にたのしんでいた。夫人は、信念に顔を輝かしていた。夫人は、とくにアントワーヌを相手に、ふたりのあいだにはいつもかわらぬ見解の一致があると思いこんででもいるような態度で、うち解けて話していた。彼女は、アントワーヌのひたいや鋭い眼差しが好きだった。それでいて、自分が彼より十六も年上であり、自分にもこれくらいの息子があっていいはずだということなど、考えてさえもいなかった。アントワーヌは、フェリックス・エッケがりっぱな外科医であること、将来のある男であることを保証して、夫人の心を喜ばせてやった。

ジャックは、話の中にはいらなかった。《……まだお乳を吸ってる？》彼は、憤然と心の中にくり返した。ここへ来てからの何からなにまで、そして、フォンタナン夫人の愛想のいいおしゃべりまでが、彼をいら立たせていたのだった。彼は、夫人のお祝いの言葉を、しまいまでがまんして聞いていられなかった。そして、自分の成功を、夫人がある程度高く買っているらしいのを、むしろ夫人自身のために気恥ずかしく思って、くるりと向こうをむいてしまっていた。――もっとも、そうした彼自身、夫人に、合格を電報で知らせてやったのではなかったろうか。《でも、ジェンニーだけは、お祝いなんか言わずにくれた》と、彼は思った。《おれが、そんな成功以上の価値のある人間だということをわかっていてくれたのだろうか？　ちがう。単なる無関心にすぎないんだ。おれの優秀さ、か……まだお乳を吸ってる、か！　おれはばかだ！……それに、彼女には、ノルマリアン（高等師範学校生）のなんたるかがわかってなんぞいるだろうか？　そして、おれの将来なぞ、彼女にとって何の関係がある？やっと〈こんにちは〉とだけ言ってくれた。そしておれは……だがおれは、なんであんなばかなことを言ったのかしら？》彼は、顔をあからめた。そして、ふたたび歯を食いしばった。《彼女は、おれに〈こんにちは〉を言いながら、じつはいとこの話に気をとられていたんだ。彼女の目……不可解な目だ。顔全体は、まだほんの子供だ。だが、あの目ときたら……》できものがたえず痛んでいて、それが彼の念頭を離れなかった。しかも、できもの以上に、みんなに――《おばさん》や、それにジゼールにまでさせられた包帯のことが、なんともやりきれない感じだった！　さだめし、みっともないようすをしているにちがいない……

アントワーヌは微笑していた。そして、ジャックのことなど忘れてしまって、しきりに話しつづけていた。

「……道徳的見地からみますと……」と、アントワーヌは言っていた。

《兄きのやつ、しゃべってる。兄きは、自分ことしか考えてないんだ！……》と、ジャックは思った。するとたちまち、いかにも世慣れのした兄の愛想のよさ、またその《道徳的見地》なるものが、さっき、あの放埒《ほうらつ》な打ちあけ話を聞かされていただけに、なんともゆるしがたい偽善ででもあるかのように心にささった。ああ、ふたりはなんとちがっていることだろう！　ジャックは、一瞬にして、向こうのはしまで飛びすさってしまっていた。そして、兄とのあいだに、なんの共通点も見いだせなくなってしまっていた。そうだ、おそかれ早かれ、ふたりは離れなければならないだろう。ふたりは、そうした運命にあるのだ。ふたりの力は、しょせん一致を見ることができず、双方たがいに反発しあうにきまっているんだ！　この五年にわたる理解し合った生活、それも、こうして目前にせまったふたりの離反を救ってくれるにたらず、今後ふたりが、縁なきものとなり、赤の他人となり、おそらくはたがいに敵となることをさまたげるものでないことを思うと、彼の心は苦い悲しみに満たされてしまった。彼は、あわや立ちあがろうとした。そして、なんとか口実をもとめて、ここから帰りたいと思った。夜の中をさまようのだ。どことあてなく、森のなかを！　この世の中で、自分にほおえみかけてくれたものはただひとり。それこそまさにジゼールだった。もしいまがいま、このしばふの上、彼女のそばにいて、彼女の顔に近く、彼女の目に近く――そうだ、かげひとつない彼女の目、あの目！――《よくって？》と言いながら、まるで小鳩のような声を出して笑ったときの彼女の目のそばへ行かれるのだったら、彼は、きのうの成功など、喜んで投げすててしまったにちがいなかった！　では、ジェンニーは？　彼は、きょうまで、ジェンニーの笑ったのを見た記憶がなかった。そして、その微笑でさえも、そこには何かあきらめといったような表情がうかがわれていた！　《おや、おれとしたことが、これはいったいどうしたことだ？》彼はそう思いながら、気を取りなおそうとした。だが、そうしたうらめしいような気持ちをともなったノスタルジア、――それには、彼の意思よりも強いものがあった。それは、彼をして、何からなにまで、フォンタナン夫人の言葉や、卑屈なアントワーヌの態度や、すべての人々や、自分自身のむなしい青春や、さらには、見わたすかぎりの愚劣さの中にとくとくとしているらしいジェンニーまで、すべて十ぱひとからげに唾棄すべきものに思わせるのだった。

「ジャックさん、どういうふうにしてお休みをおすごしのおつもり？」と、フォンタナン夫人がたずねた。「ダニエルにすすめて、何週間かパリを離れるようにさせていただきたいわ。おふたりで旅行でもしたら、ずいぶんおもしろくもあり、ためにもなるだろうと思うんですけど」（彼女は、自分の息子について、ほかの人とちがった将来の見込みをあてにしながら、それがまだ、あまりはっきりした形をとってあらわれていないのにいささか心を痛めていた。そして、ときどき、それにこだわるまいと思いながらも、息子の生活、あまりに自由すぎる、あまりに規律のなさすぎる生活――とはいえ、彼女としては、それを放埒《ほうらつ》な生活だと思いたくなかった――のことを、心もとなく思っていた。）

ジャックから、この夏じゅうずっとメーゾン・ラフィットですごすつもりだと聞かされた彼女は、

「まあうれしい！」と、言った。「きっと、ダニエルも来たくなってくれるだろうと思いますわ。あの子は、ちっとも休暇をとりませんの。いまにからだを悪くしますわ……ジェンニー！」と、夫人は、おりからお客たちといっしょにもどって来た娘に言った。「うれしいことがあるのよ。ジャックさんは、このお休みじゅう、ずっとここでお暮らしになるんですって！　ほうら、すばらしいテニスができるじゃないの？……ジェンニーは、ことしもう夢中でしてね、毎日毎日、午前中クラブに行っていますの。いま、ここには名高いテニス・クラブができていましてね」と、夫人は、自分のそばへきて腰をおろしたドクトル・エッケに説明した。「りっぱな若いかたたちが、毎朝そこへ集まりますの。コートも申しぶんありませんし、それに、やれマッチだとか、選手権とか、いろいろな催しがありましてね……わたしにはよくわかりませんけれど」と、彼女は笑いながら言った。「でも、とてもおもしろそうですわ。そして、みなさんいつも、若いかたがたが足りないって苦情を言っておいでですの！　ジャックさん、あなたずっとクラブにはいっていらしって？」

「ええ」

「それはすてき！……ニコルちゃん、あなたはこの夏、たっぷり一週間、お婿さんとここへ来るようにしなければ。そうじゃない、ジェンニー？　ドクトル・エッケも、きっとおじょうずなんでしょう？」

ジャックは、エッケ氏のほうをふり向いた。客間の灯火《ともしび》は、ひらかれた戸口から流れ出ていて、若い外科医の、面長な、むずかしい顔だち、かなり短い褐色のひげ、それに、すでに銀髪をまじえたこめかみのあたりを照らしていた。彼は、ニコルより、たしかに十ばかり年上らしかった。灯火が、鼻眼鏡の上にちらちらしていて、どんな眼差しであるかはわからなかったが、その慎重な態度には好感が持てた。《そうだ》と、ジャックは思った。《おれはまだ子供なんだ。そして、あれがおとなだ。人に愛されるおとななんだ。ところが、このおれは……》

アントワーヌは立ちあがっていた。彼は疲れていた、そして、汽車に乗りおくれたくないと思っていた。ジャックは、彼のほうへ、おこったような眼差しを投げた。ついいましがた、なんでもいい、何か口実を見つけて帰ってしまおうとしていた彼なのに、このまま今夜の訪問が終わるのかと思うと、あきらめきれない気持ちだった。といって、兄といっしょに帰らないわけにもいかないし。

彼はジェンニーのほうへ歩みよった。

「ことし、クラブでは誰とやっているんです？」

ジェンニーはじっと彼を見つめた。そして、まゆげの細い線を軽く引きしめた。

「誰でもそこにいる人と」と、彼女は答えた。

「では、カザン兄弟、フォーケ、ペリゴーといった連中？」

「もちろん」

「いつもおんなじ。そして、あいかわらずお利口な連中？」

「それがどうなんですの？　誰も彼もが高等師範《ノルマル》にはいるわけではないんでしょう？」

「なにしろ、テニスがうまくなるためには、頭がおるすでなくてはいけないらしいや」

「そうかもしれないわね」彼女は、おうへいに頭を上げた。「あなたは一番よくご存じのはずよ。昔、とてもおじょうずだったんだから」そして、話題をかえ、いとこのほうをふり向きながら「ニコちゃん、まだ帰らないでいいの?」

「フェリックスさんにきいてよ」

「何をフェリックスさんにきくんだね」と、エッケ氏が、ふたりの少女のほうへ歩みよった。

《なんというすばらしい顔色》と、アントワーヌは、じっとニコルを見つめながら思った。《だが、ラシェルにくらべると……》こう思うと、彼の心は、たちまちふくれあがってきた。

「では、ジャックさん、また来てくださいますわね?」と、フォンタナン夫人が言った。「ジェンニー、あなたあしたテニスに行く?」

「どうだか。たぶん行かないわ」

「あしたでなくても、午前ちゅうはいつでもお会いできるわけね」と、フォンタナン夫人は、とりなすようなちょうしで言った。そして、アントワーヌが遠慮したにもかかわらず、兄弟を庭の小門のところまで送って行った。

「あなたったら、お友だちにたいしてあんまり親切じゃなかったわね!」兄弟が出て行ってしばらくして、こうニコルがさけんだ。

「だって、第一、あの人たち、あたしのお友だちじゃないんだわ」と、ジェンニーが言いかえした。「ぼくがいっしょに仕事をしていたチボー君は」と、エッケ氏が口をはさんだ。「あの人はじつにりっぱな人なんだ。そして、すでにずいぶん認められてもいる。弟のほうは知らない。だが」と、彼は言葉をつづけた――その灰色の目は、眼鏡のかげでいじわるそうにきらりと光った。彼は、ジャックとジェンニーとの短い対話を聞いていたのだった。――「ばかが一度で高師へはいれるなんてことはめったにない。しかも上のほうの成績で……」

ジェンニーの顔にはさっと朱がさした。ニコルは急いで口をはさんだ。ジェンニーと長いことといっしょに暮らしていたニコルには、ジェンニーの性格に見られるいろいろなくせ、たとえば、小心さと倨傲心《きょごうしん》とがたえず争っていて、それが往々とほうもない短気に変わることなどがわかりすぎるほどわかっていた。

「あの人、首筋におできができてたのよ」と、ニコルは、寛容な気持ちで説明してやった。「そんなことがあると、誰でもとかく無愛想になるものよ」

ジェンニーは、なんとも返事をしなかった。エッケ氏のほうでも、それ以上なにも言わなかった。彼は、ニコルのほうをふりかえった。

「ニコル、そろそろしたくをしなくっちゃ」彼は、きちんとした生活をしつけている男とでもいったちょうしで言った。

そこへフォンタナン夫人がふたたび姿をあらわし、その場の空気はすっかりかわった。

ジェンニーは、ニコルといっしょに、ニコルの外套のおいてある部屋のほうへ行った。そして、その部屋の中で、かなり長い沈黙の後でつぶやくようにこう言った。

「これで、ことしの夏もだいなしだわ」

ニコルは、鏡の前にすわって、いいなずけに気に入りたさの一心で髪を直していた。彼女は、自分でも美しいと思っていた。そして、彼が、階下でおばさんに何を言っているだろうかを考えながら、フェリックスの自動車で、静かなやみの中を帰って行くときのことを考えていた。そしてジェンニーのふきげんにもたいして注意しないでいた。だが、ジェンニーの殺気立った表情に気がつくと、彼女は微笑しながらこう言った。

「まあ、なんて赤ちゃん!」

彼女には、ジェンニーのそそいでいる眼差しも目にはいらなかった。

自動車のクラクションの音が聞こえた。ニコルは快活に向きなおると、彼女をいかにも魅力あるものにさせている、やさしさと、無邪気さと、おきゃんなところのまじり合ったようすで、いとこのほうへ飛んで行き、からだを抱いてやろうとした。だがジェンニーは、思わずアッとさけび声を立てた。そして、ひと足横に飛びのいた。彼女には、人からさわられるのが、なんともがまんできなかった。

彼女はいままで、ダンスを習おうとしたことがなかった。知らない人の腕でさわられることが、生理的にきらいだった。まだごく小さいころ、ある日の午後、リュクサンブールの公園で足のくるぶしをくじき、家まで車で帰らなければならなかったときでも、自分の住まいまで家番に抱かれて上げてもらうのより、痛い足を引きずりながら、階段をあがって行くことにした彼女だった。

「まあ、なんていうくすぐったがりやさん！」と、ニコルが言った。そして、夕食のまえ、ばらの小道の中でふたりきりですごしたときのことを思いださせようとするように、明るい眼差しを見せてこう言った。

「あなたとお話ができてうれしかったわ。あたし、ときによると、幸福に押しころされそうになる日が幾日もあるの。あたし、あなたには、ねえ、いつでもほんとのあたしというものを見せてきたわ。こうしてあなたといるあたし、これがほんとのあたしなのよ！　ねえ、あたしほんとに考えてるのよ、もうじきあなたも……」

ヘッド・ライトの光ですっかり姿を変えられた庭は、まるで夢の国かお芝居とでもいった感じだった。エッケ氏は、エンジンのボンネットをあけ、いかにも実際家らしいきちんとした身のこなしでプラグをしめていた。ニコルは、外套を畳んで、それをひざの上におこうとした。だが、エッケ氏は、いやおうなしにそれを着させた。彼は、自分が万事をたのまれている小娘とでもいったように、彼女を取り扱っているのだった。ことによると、あらゆる女を、子供のように取り扱っているのではないだろうか？　しかもニコルは、彼の言いなりになっていた。ジェンニーは、それにびっくりすると同時に、ふたりにたいする反感といったようなものを感じた。《いやなこった》と、彼女は、小さなひたいをゆすぶりながら思った。《そんな幸福なんて……あたしまっぴらだわ》

彼女は、長いこと、樹木のあいだ、やみの中を、車に先だって走る光線のあとを目で追っていた。

それから、庭のへいにもたれ、犬をしっかり抱きながら、つよく胸を刺すようなめいった気持ち、何か自分にもわからないものにたいする恨みの気持ち、目的のない希望といったような気持ちをひしひしと感じていた。そして、星が燦爛《さんらん》とかがやいている空のほうへ顔を上げ、しばらくのあいだ、生きようとするよりは、むしろこのまま死んでしまいたいとねがっていた。

六

ジゼールは、幾日かまえから、どうして毎日毎日がこんなに短く思われるのか、どうして夏がこんなに輝かしく思われるのか、なぜ、毎朝、大きく押しひらいた窓のそばでお化粧をしながら、思わず歌がうたいたくなるのか、なぜまた目にはいるあらゆるものに——彼女の鏡に、澄みわたった空に、庭に、彼女が水をやっている窓のふちのスイートピーに、また、まるで日の光を防ぐためとでもいったように、針ねずみのようにまるくなっているあのテラスのオレンジの木に、なぜほおえみかけたくなるのだろうと心の中で考えてみた。

チボー氏は、メーゾン・ラフィットに二、三日滞在すると、仕事のつごう上、一日だけはパリへ帰っていった。彼がるすになるやいなや、家の中には、ほっとしたような空気がみなぎるのだった。三度の食事も、まるで遊びごとといったように楽しかった。ジャックとジゼールとは、例のとほうもない、子供らしいばか笑いをはじめていた。《おばさん》は、いつもよりもいそいそと、調膳室から納《なん》戸《ど》へ、台所から物干し室へ、ナドー（十九世紀における小唄作家）の歌を思わせる流行おくれの賛美歌をうたいながら、小きざみ足で動きまわっていた。そうした日には、ジャックは、ぐったりして、ただ頭だけはぴちぴちして、いろいろ矛盾しあった計画が頭の中にあふれかえり、天賦の才能のおもむくままに、午後のあいだを、庭のすみで、立ってみたり、すわってみたり、そして、ノートになにか書き散らしてみるのだった。ジゼールも、時間を有効につかわなければならないと思って、木陰を行ったり来たりするジャックの姿の見える踊り場に腰をおろし、そこで、《おばさん》が、ジャックからのたってのすすめで、英語の進歩の一助にもとゆるしてくれたディッケンズの『大いなる遺産』に読みふけり、開巻早くも、ピップがかれんなビッディーを、いじわるで、気まぐれなミス・エステルに見かえるであろうことを想像しながら、しみじみ涙をながしていた。

　ジャックは、八月の第二週め、どうしても立会人になることをことわりきれず、トゥーレーヌで行なわれたバタンクールの結婚式に参列するためにちょっとるすにしたが、それこそは、これまでの夢を破るのにじゅうぶんだった。

　メーゾン・ラフィットに帰った翌日、いらいらした眠りのあとで朝早く目をさましたジャックは、注意して顔をそりながら、もう皮膚には少しの赤みもさしていず、できものもほとんど目に見えないくらいの傷しか残していないのをみとめるとともに、ふたたびこうした単調な生活の中にはいることがたまらなく幻滅的に思われだし、化粧台の前を離れるやいなや、荒々しく、ベッドの上にからだを投げだした。《こうして、何週間かがたっていくんだ》と、彼は考えた。これがはたして、期待していたような休暇といえるだろうか？　彼は、とつぜんベッドから飛びおりた。《少し運動をしなければ》彼は、くるおしい動作にもかかわらず、分別のあるちょうしでこう言った。彼は、箪笥の中から開襟シャツを一枚選び出し、靴やラケットが、まだ役に立つかどうかをたしかめてみた。そして、何分かの後には、一刻も早くクラブへ着きたいと思って、自転車を走らせていた。

ふたつのコートは、すでにほかの連中がつかっていた。ジェンニーもやっていた。彼女は、ジャックの来たのに気がつきさえもしないようだった。ジャックのほうでも、急いであいさつに行こうとしなかった。組み合わせが変わって、今度はふたりがいっしょになった。最初は敵に、次には味方同士に。ふたりの力は伯仲していた。

ふたりはとつぜん、まえに仲よくしていたころをそのままの、乱暴な口をきき出した。ジャックは、なにかとジェンニーのプレーに口だしをした。それは、いつもやかましすぎ、しかも、相手の気持ちをわるくさせるようなものであり、彼女のプレーのあやまちをあざ笑い、あきらかに、相手にさからうのをおもしろがってでもいるようだった。ジェンニーは、いつもとちがったきんきん声で、負けずおとらず応酬した。彼女としては、こんな不親切なパートナーから逃げだすこともできただろう。だが、彼女は、相手をそらそうなどとは思ってもいないようすだった。かえって、最後になって相手をやっつけてやろうとがんばっていた。そして、ほかの連中が、昼食のため散らばりはじめたとき、彼女は、あくまでもほこをおさめないといったちょうしでこう言った。

「シングルスで四ゲームするわよ！」

彼女は、はげしい戦闘的精神に満ちた興奮をしめして、彼は、みごと四—ゼロで負けてしまった。勝ったことから、彼女は寛容をしめした。

「これは、ノーカウント。あなたは気のりがしていないんだから。いずれ復讐戦をするんだわね」

彼女の声は、ふたたびいつものような含み声にかえっていた。《ふたりは子供なんだ》と、ジャックは思った。彼は、ジェンニーとおなじ弱点をもっていることをうれしく思った。それは希望の光とでもいったようなものだった。彼には、ジェンニーにたいする自分の態度が、急に恥ずかしくなってきた。では、どういう態度を取るべきかとなると、まったく見当がつかなかった。いったん彼女の前に出ると、どうしてもありのままのちょうしになれなかった。しかも、彼は、誰の前より、彼女の前でこそありのままになりたかった。ふたりが、自転車を押しながらクラブを出たとき、ちょうど十二時が鳴っていた。

「さよなら」と、彼女は言った。「先へ行っててちょうだい。あたし、とても暑くって、自転車だと気分が悪くなりそうだから」

彼は、なんとも答えなかった。そして、彼女のそばを歩いて行った。

ジェンニーは、押しつけがましくされるのがきらいだった。彼女は、自分が離れたいと思っているのに、相手が離れてくれないのがいらだたしかった。だが、ジャックはそれに気がつかなかった。彼は、あしたもテニスをしに来ようと思っていた。そして、自分がとつぜんこんなに熱心になったことをわからせてやるような一言をさがしていた。

「ぼく、もうトゥーレーヌにも行って来たし」と、彼はもじもじしながら言った……そこには、もう嘲弄的なちょうしは見られなかった。(それに、彼女は、すでに去年から、ふたりきりでいるとき、彼がいやがらせをしなくなったことに気がついていた。)

「トゥーレーヌに行ってたの?」彼女は、何か言わなければならないような気持ちで言った。

「うん。友だちが結婚したんだ。あ、きみも知ってるさ。きみのところで会ったんだから。ほら、あのバタンクール」「シモン・ドゥ・バタンクール?」彼女は、記憶をよびあつめてでもいるようだった。それから、きっぱりした口調で言った。「あたし、あの人きらいだったわ」

「へえ? どうして?」

彼女には、こうした種類の質問をされることがたまらなかった。

「それはあんまり手きびしすぎるな。あいつ、なかなかいいやつなんだぜ」と、なにも返事のないのを見て、ジャックが言った。だが、やがて思いかえすと、「そう、じつをいうと、きみのいうのがあたってる。あいつはたしかにつまらない男だ」彼女は、そうだといったようにうなずいてみせた。

それを彼はうれしく思った。

「あなたがあの人とつきあってること、あたしちっとも知らなかったわ」と、彼女が言った。

「それはちょっとわけがちがうさ。向こうでつきあいを求めてきたのさ」彼は、微笑を浮かべながら訂正した。

「どこからの帰りだったか忘れたが、なにしろ、晩、家へ帰って来るときだった。だいぶおそくなってからだった。ダニエルは、ひと足先に別れていった。そのときバタンクールが、だしぬけに、ぼくにいろいろ打ちあけ話をきかせたんだ。ぼくに、身の上をすっかり聞かせた。まるで、銀行家に財産を託して、万事よろしく願いますよ、あなたをおたよりしているんですから、とでもいったようにね」

彼女は、多少の好奇心をもって彼の話を聞いていた。そして、もう、彼をまこうという考えも捨てていた。

「あなた、人からたびたび打ちあけ話を聞かされる?」と、彼女はたずねた。

「ううん。でも、なぜさ?……そうだ、聞かされるかもしれないな」彼は微笑した。「そうだ、じつをいうと、たびたび聞かされることがある」彼は、ちょっと相手をけしかけるようなちょうしで言葉をつづけた。「びっくりした?」

彼は、ジェンニーが、落ちつき払ってつぎのように答えたのに感心した。

「ううん、ちっとも」

熱気を帯びた風が、ふたりのそって歩いていた庭のいきれを、湿った肥料土のにおいを、日に照らされた花々——石竹とか、ヘリオトロープなどの重苦しいにおいをふたりの顔に吹きつけていた。ジャックは、何も言わずに歩いていた。そして、今度は、彼女のほうからこうたずねた。

「そして、いろいろ打ちあけ話を聞いたあとで、あの人を結婚させてやったっていうわけ？」

「いや、反対だ。ぼくは、あのふつりあいな結婚をさせまいと、できるだけのことをした。なにしろ相手は、彼より十四も年上の未亡人で、それに子供がひとりあるんだ！　バタンクールの両親たちは、息子相手にけんかをしちゃった。だが、どうともほかにしかたがなかった」彼は、かつてこの友人のことを語りながら、宗教上の意味での《憑かれたるもの》という言葉をつかって、それがじつにぴったりだったことを思いだした。「バタンクールは、あの女にすっかり憑かれているんだ」

「きれいなかた？」彼女は、そうした言葉の持つ力に、たいして重きをおいていないかのように言ってのけた。

彼は考えこんでしまった。それを見た彼女は、唇をつまみながらこうつけ加えた。

「あたし、そんなにこまらせるつもりで質問したんじゃなかったのよ！」

彼は、なおも考えつづけていた。そして、微笑さえも見せなかった。

「きれいだとは言えないな。恐ろしい女さ。それ以外の言葉は見つからない」そして、口をつぐんでからこうさけんだ。「人間て、なんてふしぎなものだろう！」彼は、ジェンニーのほうへ目を上げた。そして、彼女が驚いているらしいのを見てとった。「そうなんだ」と、彼は言葉をつづけた。「人間というものは、どれもこれもじつにふしぎだ！　誰の興味もひかないような人間でさえ。きみは気がついているかしら？　自分の知ってる人たちのことについて、やはりその人を知ってるほかの人たちと話すとき、どんなにたいせつな、どんなにその人を知るのにかんじんなことが相手にぜんぜんわかっていないかっていうことが。そうしたことから、人間同士、とても誤解が多いんだ」

彼はふたたびジェンニーをみつめた。そして、彼女が自分の言葉をよく聞いてくれたこと、自分の言ったことを心の中で反復していてくれるように思った。いままで、ジェンニーにたいしていだいていた警戒の気持ちは、たちまち楽しい、安心の気持ちに取ってかわった。彼は、まだ記憶に新しい結婚式のときのこまかい話をして、もっとしっかり彼女の異常な注意をつかんでやり、その心を動かしてやりたいと思った。

「どこまで話してきかせたかしら？」彼は、とんきょうなちょうしでこうたずねた。「ぼくは、いつか、自分がちょっと知ってるだけのことを基礎にして、彼女のことを書いてみたいと思ってるんだ！うわさによると、なんでも最初、どこかの勧工場《バザー》の売り子をしていたということなんだ。あの女の不《ふ》撓《とう》不《ふ》屈《くつ》なのし上がりかた」と、彼は手帳に書き込んでおいた言葉をそのままくり返した。「ぜんぜん、ジュリアン・ソレル（スタンダール『赤と黒』の主人公。微賤に生まれ、明知と術数によって巧みに世に処していった青年）の妹ぶんさ。きみ『赤と黒』が好き？」

「いいえ、ちっとも」

「へえ？」と、彼は言った。「そう、ぼくにはきみの言ってる意味がわかるな」彼は、ちょっと考えてから微笑してみせた。「注釈を入れてたら切りがないや。ところで、ぼく、きみのじゃまをしてるんじゃないかしら？」

興味をもっているように見られたくないと思った彼女は、うわの空のようすで言った。

「ううん。お昼食は十二時半でなければ。ダニエルが来るんだから」

「ダニエルが来るって？」

彼女は、自分の嘘に追いつめられていた。

「たぶん来るって言ってたの」と、彼女は、顔をあかくしながら言った。「あなたは？」

「ぼくは急がない。おやじはパリへ行っている。ところで、陰のほうを歩かない？……きみに聞いてもらいたいのは、とりわけ、式のあとでの食事のときのことなんだ。なあに、たいしたことではなかったんだが。それでいて、それがなかなかつらくってね。まず、道具だてといえば、大時代のお城《シャトー》、グピヨが修復させた物見やぐらがついてるんだ。グピヨというのが女の最初の亭主なんでね。すばらしい男で、小間物屋の店員あがりではあるが、勧工場経営の天分を発揮して、ほうぼうの地方の町という町に《二十世紀》という勧工場をこしらえあげ、巨万の富をのこして死んだ。きみもたしかに、どこかで見たことがあるだろう。なにしろその後家さんというのが、ここでついでに言っとくが、まさにとほうもない金持ちなんだ。ぼくも、そのときまでは、一度も紹介されたことがなかった。さ、なんて説明したらいいだろうな？　やせて、なよなよして、いきすぎるといったような女。いじの悪そうな女、横顔なんかもなかなかきつい。色の浅黒い、いささかくすんだ顔に、ねずみ色の目。まるでよどんだ水といったような、色のはっきりしないねずみ色の目。わかるかしら？　態度ときたら、まるで甘えっ子そっくり。顔にくらべて、態度のほうが目に見えて若々しい。高い声で話をする。笑う。ところが、ときどき、――さ、なんと説明したらいいかな――そのねずみ色の眼差しが、まつげにそって、まぶたのあいだを走りまわる。と、たちまち、その子供っぽい言葉の中に、不安の色があらわれる。それを見せられると、つい彼女が未亡人になってからのうわさ、彼女がグピヨをじわじわ毒殺したんじゃないかといったようなうわさばなしが思いだされる」

「そんな人、こわいわ」と、ジェンニーが言った。彼女はもはや、ジャックによってかき立てられた興味にたいして、少しの抵抗もしめさなかった。ジャックのほうもそれと察して、たのしい興奮を感じていた。

「そう、それなんだ」と、彼はくり返した。「ちょっとこわいといった感じの女。そうだ、ぼくはおぼえている、食卓についたとき、ぼくはまさにそう感じた。ぼくは、じっとみつめてやった。ところが、彼女は、顔筋ひとつ動かさず、白い花で飾られた食卓の前に立っていた……」

「白い着物を着て？」

「大たいね。はっきり花嫁衣装というのではないが、ローブ・ドゥ・ジャルダンとでもいったようなやつだった。芝居の衣装じみた、かなりくすんだ、クリーム色がかった白いやつ。食事は、いくつもの小さなテーブルで出された。彼女は、椅子が足りまいがおかまいなし、行きあたりばったりに、みんなを自分のテーブルによびあつめていた。バタンクールは、彼女のそばについていた。彼はいらいらしているようだった。彼は、彼女にこう言った。《おまえ、これではすっかりごちゃごちゃになっちまうじゃないか》ふたりは目と目を見かわした……ああ、そのときの、とてもふしぎな目つき！ぼくは、もうふたりのあいだに、少しの若さもないように思った。なにひとつ潑剌としたものがなく、あるものは、ただ過去の影にすぎないとでもいったようなんだ」

《ことによると》と、ジェンニーは思った。《この人は、あたしの考えていたような悪い人でもなく、冷たい人でもなく、それにまた……》同時に彼女は、自分がずっとまえから、ジャックが、感じのこまかい善良な青年であることを知っていたのに気がついた。彼女の胸は乱れた。そして、ジャックの話を聞きながら、自分が彼にくだした好意ある判断をさらに理由づけてくれるようなふしぶしを聞きとらえようとせずにはいられなかった。

「シモンは、ぼくを自分の左にすわらせようとした」と、彼は言葉をつづけた。「友だちの中で、列席したのはぼくだけだった。ダニエルも、来る約束になっていた。だが、やつは、うまくすっぽかしてしまった。そして、バタンクール家の者は誰ひとり——シモンといっしょに育てられ、そして最後の列車のときまであてにしていたいとこさえも姿を見せなかった。見ているほうがつらかった。感じやすい、かなり純粋な男なんだから。それは確かにそうなんだ。ぼくは、彼について、いろいろいいことを知っている……彼は、まわりのいろいろな人たちをながめていた。それがみんな、彼の知らない人たちだった。彼は、親戚たちのことを思っていた。そして、ぼくに向かってこう言った。《まさかこんなにまでつらくあたられようとは思わなかった。してみると、とてもおこっているらしいな！》また、食事をしながら、思いだしたように、《手紙一本、祝電ひとつよこさないんだ！　彼らにとって、ぼくは、もう存在しないもどうぜんなんだ》とも言った。ぼくは、なんと答えていいかわからなかった。すると、彼は、急いでこんなことをつけ加えた。《なあに、これはぼく自身のために言ってるんじゃない。このぼくなんかどうだっていいんだ。つまりはアンヌのためなんだ》おりもおり、アンヌは、届いた電報の封を切りかけていた。バタンクールは顔色を変えた。だが、電報は、まさに彼女にあてられたものだった。女友だちからの祝電だった。彼は、もうがまんができなくなってしまった。みんなが見ている前もかまわず、アンヌ、そして彼女のむずかしい顔、自分を見張っている冷たい眼差しにもかまわず、たちまち彼は泣きだした。女は、憤然とした。彼にもそれがわかっていた。もちろん隣にいたのだから。彼は、女の腕に手をのせると、低い声で、子供のようにこう言った。《かんにんしてね》聞いているほうでたまらなかった。女は、身動きひとつしなかった。すると、彼は――それこそ、泣いている彼を見るより、さらにつらいことだったが――急に勢いこんでしゃべりだし、じょうだんさえも飛ばしはじめた。そしておりおり、苦しそうに口から出まかせをしゃべりながら、目には涙を浮かべていた。そして、おしゃべりをしながら、それを手の甲でふいていた」

興奮しているジャックのちょうしは、そうした情景になまなましい感動をあたえ、ジェンニーは、思わず、こうつぶやかずにはいられなかった。

「たまらないわね……」

ジャックは、作者とでもいったような喜びを味わっていた。それはおそらく彼として初めての、そして、きわめて濃厚な喜びの気持ち。だが、彼は、それをずるくも、外へあらわそうとしなかった。

「たいくつしない?」彼は、さも、彼女の言葉が聞こえなかったように言った。そして、そのまますぐに言葉をつづけた。「それだけじゃない。デザートのとき、ほかのテーブルから《よう、新夫婦！》という掛け声がかかった。バタンクールと新婦とは、席を立ち、微笑しながら、シャンパンの杯を手にして、部屋をひとまわりしなければならなかった。そのとき、なんとも悲痛な、ちょっとしたできごとが起こったんだ。というのは、テーブルからテーブルへまわって行きながら、ふたりはまえの亭主の子供である、八つか九つの女の子のことをすっかり忘れていたのだった。子供は、ふたりのあとを追っていた。すでにふたりは、ふたたび自分たちの席にもどっていた。母親は、小さな着物の襟飾りのしわをのばしてやりながら、手荒く娘にキスしてやった。それから、子供を、バタンクールのほうへ押しやった。ところが、テーブルをまわりながら、誰ひとり知った顔に出会わなかったバタンクールは、目が涙でいっぱいだったので、もうなにひとつ見えなかった。そこで、彼のひざの上に、子供をのせてやらなければならなかった。そのとき、彼が《ほかの男》の子供の上にうつむきこみ、その顔の上にみせていた借りものの微笑！　子供は、頬を差しだしていた。悲しそうな目つきの子供。ぼくはぜったい忘れることができない。やがて、彼はその子にキスしてやった。そして、その子が、行こうとせずにいるのを見ると、彼は、まるでばかみたいに、こうやって、一本の指で——わかる？——その子のあごをなでてやっていた。なんともいじらしいかぎりだった。だが、ちょっといい話だろう？……え？」

彼女は、彼が《いい話》と言ったときの口調に打たれて、彼のほうを向き直った。彼女は、ジャックの眼差しの中に、反感を催させるような粗野な重厚さの見えないこと、しかも、明るい、敏捷な、表情に富んだ彼のひとみが、そのときちょうど、澄みわたった水のように思われたことに気がついた。

《どうしてこの人、いつもこんなでいないのかしら?》と、彼女は思った。

ジャックは、微笑を浮かべていた。こうした思い出にまつわる哀愁のごとき、それは、他人の生活、さまざまな人々の考えなり感情なりをしめすあらゆるものに寄せる彼の興味にくらべて、物のかずにもたりなかった。ジェンニーもまた、そうした楽しみを味わっていたのだった。そしておそらく、彼にあっても彼女にあっても、その楽しみは、ふたりがたがいにひとりだけでないということから、さらにかき立てられていたにちがいなかった。

ふたりは、並木道のはずれに来かかっていた。ふたりの目には、すでに森の入口が見えていた。草にそそぐ日の光は、ふたりの前に、まぶしいばかりの敷物をひろげていた。ジャックは、そのとき足をとめた。

「おしゃべりしちゃった」と、彼は言った。「たいくつした?」

ジェンニーは、べつにそうでないとも答えなかった。

それでいて彼は、さよならを言うかわりに、こう言った。

「せっかくここまでやって来たんだ。兄さんに会って行こうかな」

これは、困ったことに、彼女に自分のついた嘘のことを思いださせることになった。ジャックが、彼女をひたむきに信じていただけ、彼女のほうでは困ってしまった。彼女は、なんとも答えなかった。ジャックは、彼女が自分をうるさく思い、もうこれ以上送ってもらいたくないと思っているものと考えた。

彼は、それをたまらなく思った。といって、悪い印象をあたえたまま別れてしまう気にもなれなかった。とりわけ、けさ、ふたりのあいだには、この幾月、いな、おそらく幾年にわたって、彼がおぼろげながらねがっていたようなことが、生まれかけそうに思われていただけ！

ふたりは、黙って、小門へつづくアカシア並木の道を歩いて行った。ジャックは、ジェンニーのうしろを、少しはなれて歩きながら、彼女の頬の、美しい、そして悲しげな曲線をながめていた。歩きつづければつづけるだけ、いまさら思いかえして彼女をひとりで行かせることは、ますます理屈がたたなかった。そうするうちにも時は移った。

ふたりは、門のところまでやって来た。彼女は門をあけた。そして彼は、彼女のあとからはいって行った。そして、ふたりは、そのまま庭を横ぎった。

テラスには、誰のすがたも見えなかった。客間の中もからだった。

「ママ！」と、ジェンニーが呼んだ。

誰も返事をしなかった。彼女は台所の窓のほうへ歩いて行った。そして、自分の嘘にしばられながら、

「兄さん、来た？」と、たずねた。

「いいえ、お嬢さま……でも、いましがた電報がまいりました」

「お母さまをおわずらわせしないでね」と、ジャックが言った。「ぼく、帰るから」

ジェンニーは、しゃんと立っていた。そして、顔には、いかにも強情らしい表情を浮かべていた。

「さよなら」と、つぶやくように、ジャックが言った。「では、またあした？」

「さようなら」彼女は、見送ろうともせずに、そう答えた。

ジャックが帰って行くやいなや、彼女は玄関へ行き、手荒くラケットをプレスにはめ、そこにあった箱の上に投げだした。いままでのふきげんを、こうした手荒なしぐさにあらわして、彼女ははじめてホッとした。

《あした、行くもんか！　どんなことがあっても、あしたは行かない！》と、彼女は思った。

フォンタナン夫人は、自分の部屋にいて、たしかに娘の呼ぶ声を聞き、ジャックの声も聞いたのだった。だが、心がすっかり転倒していて、とても平静を装ってみせるだけの気力がなかった。届いた電報は、夫からのものだった。ジェロームは、病気のノエミのそばに、ただひとり、無一文のまま、アムステルダムにいるということだった。夫人は、たちまち決心した。これからすぐにパリへ行こう。そして、銀行にあるだけの金を引きだし、それを、ジェロームから言ってよこしたあて名のところへ送ってやろう。

娘が部屋にはいって来たとき、夫人は着物を着かえていた。ただならぬ母の顔つき、テーブルの上にはひらかれたままの電報、ジェンニーは、それを見るなりびっくりした。

「どうしたの？　何が起こったの？」と、口ごもるように彼女は言った。彼女はこんなことを思っていた。《なにか起こったにちがいない。そして、あたしはその場に居合わさなかった。みんなジャ

ックのせいなんだ！》

「たいしたことではないんだよ」と、フォンタナン夫人はためいきをついた。「お父さま……お父さまがね、お金が少し入り用だっておっしゃるのさ」そして、わが身の弱さを恥ずかしく思い、とりわけ、わが子の前で父親のことを恥ずかしく思った夫人は、顔をあからめ、両手の中に顔をうずめた。

（続く）

解説

恋はそれぞれ、その当事者に似る

『少年園』からすでに五年の年月が経過している。高等師範学校《エコル・ノルマル・シュペリユール》の合格発表に向かうジャックが、「いつもいつも試験ばかりだ。しかもぼくは、もう二十歳だ」とアントワーヌに訴えていることで、読者に空白とされている五年間を、ジャックが勉学に費やしていたことがわかる。

エコル・ノルマルはフランス全土の文科系の秀才が目ざす最高の学校で、その入学試験への合格は至難のわざである。ジャックがその試験を第三位という好成績で通過したということは、エリートの道に踏み出す機会が与えられたということである。だが合格を知ったジャックは、いっこうに喜びを示さない。合格発表を見にゆく道すがら、すでにジャックは、むしろ入試に「はねられて」、「すべてのものから！　歯車から！」のがれたいと洩らし、「出てゆく室々よ！　出発することのすばらしさよ……もろもろの家庭よ、われは御身らを憎む！」という『地上の糧』の数句を引用して、アントワーヌに脱出への思いを洩らしていたのだった。

ジードの『地上の糧』にまず最初に夢中になったのはダニエルで、ジャックはダニエルからこの書を借りて読んだのである。ダニエルの場合、既成道徳観からの解放を訴える『地上の糧』は、画家としての奔放な生活を弁護してくれる恰好のうしろだて、ふしだらな女遊びに耽る官能的生活の口実になっていた。

ジャックの場合にはその同じ書が、社会機構という「歯車」からの脱出をかきたてるものとなる。社会の歯車のなかに組みこまれ、エリートとして出世街道を歩むことを嫌悪する彼には、最高学府への合格も、新たな足かせとなり、新たな監獄となるように感じられてくる。

そのようなジャックは、すでに医者と画家という将来の天職への見通しを得て、精神的に安定した生活を始めているアントワーヌやダニエルを羨ましいと思うどころか、彼らの振舞いや物の考え方には、眉をしかめ、厳しい批判をむけずにはいられない。

『美しい季節』とは、夏から秋にかけての花咲く明るい季節であり、若い主人公たちの恋の季節である。その前半をなす本巻では、美男で漁色家のダニエルの遊戯的変愛と、アントワーヌの一大恋愛の機縁となる医師としての乾坤一擲《けんこんいってき》の活躍ぶり、そして相変わらずむずかしいジャックとジェンニーの心のやりとりなどが語られる。

エコル・ノルマル合格を祝うということでダニエルがジャックたちを晩餐に誘った酒場パクメルは、遊びなれたダニエルが色事師としての本領を発揮する浮薄な社交場である。ここでは、ジャックは不器用な世間知らずの子供でしかない。ダニエルは女主人ジュジュがつれてきた、新入りの美女リネットに目をつける。ジュジュは不幸な過去をもつ貧しいリネットをその夜画商のリュドウィクスンに世話して、リュドウィクスンに彼女のパトロンになってもらおうと考えていた。ダニエルはそんなことはお構いなしに、ジュジュとリュドウィクスンの目の前でリネットを強引に誘惑してかっさらってしまう。しかし、リネットは最初からダニエルをどこかで見たことがあると思い、無意識のうちに嫌悪を感じていた。そしてふたりきりで外に出たとき、ダニエルの姓がドゥ・フォンタナンであることを知ったリネットは、愕然として逃げ出そうとする。ダニエルがジェロームの息子であることを知ったからである。どこかで見たことがあるという感じと強い嫌悪感は、『小年園』の巻であのニコルが暗室の入口で、ダニエルの表情のなかに感じとったのと同じものだったのだ。ジェロームの宿命的な放蕩が、またしても息子の上に影を投げかけてくる。しかしリネットは最後に、「あなたの赤ちゃんがほしいの！」と言って、ダニエルを受け入れる。リネットはかつてダニエルの父ジェロームの子を宿したが、その子は早産で育たなかった。リネットはダニエルのうちにジェロームの嫌な思い出を見出しながらも、死んだ子供いとしさのゆえに、憎い男の血をひいたダニエルの子を欲しいと言って身を任せようとする……ここに、女を慰みものにする男たちの陰で泣く、弱い女のあわれさがあり、父と息子が知らずして同じ女に接するというこの上なくいまわしい因縁が、放蕩者への懲罰のようにつきまとってくる。そしてさらに複雑なのは、嫌悪感を抱きつつなお肉体的にはジェロームを忘れかねるというリネットの感情で、ここに、生まれながらの女たらしの女性に及ぼす執拗な影響力が見てとれるわけである。フォンタナン夫人がこんなぐうたらな夫から離れられないのも、やはりその魅力のとりことなっているという弱味からにほかならない。

パクメルの晩餐会で、ジャックは、そんな社交場の雰囲気になじめるわけもなく、場違いな感じでひとりポツネンとしていた。そして、兄のアントワーヌがいつまでたってもやって来ないことに、不安な想像をかきたてられる。自分が不吉な言葉を吐いたため、兄が死んだのではないかという想像である。ジャックはこんな遊びの場所でも、すぐに思いを死の影に曇らせてしまう。

アントワーヌはそれくらいで死んでしまう人間ではない。彼は彼でその日、大きな試練に直面していたのである。この晩餐会でのジャックのあらぬ杞憂と、アントワーヌが迎える新たな事件との偶然的な結合、これが『チボー家の人々』によく現われる「事件の結び目」といわれるものの一つである。

アントワーヌはシャール氏にアルジェ街に引っぱって行かれ、交通事故に遭ったシャール氏の娘を救うべく、生まれて初めての大手術をやってのけることになったのだった。そのアントワーヌの冷静な判断と敏速適確な行動は、どれほど彼が医師という職業にむいた男であるか、またいかに彼が実行力を具えた人間であるかをよく知らしめてくれる。付き添っていたもう一人の若い医者と褐色の髪をした女を助手に、彼はてきぱきと決断し、着実に処置を進めてゆく。重厚沈着でしかも精力的な、アントワーヌの実力発揮のまたとない機会である。この手術の場面は、『チボー家の人々』でもとくに名高い場面の一つであるが、それは専門家が読んでも感心するという医学的記述の正確さということもさりながら、緊張した手術の進行中にそれとなく熟してゆく、アントワーヌとラシェルの運命的出遇いの玄妙な描出による。

ラシェルはユダヤ女性で、フランスに住んでもフランス社会の伝統にも因襲にも一切縛られることのない、自由奔放な生きかたを身につけていた。

手術の翌朝、ラシェルはあいさつをしに来たアントワーヌの手を力まかせにつかむと、荒々しく自分の部屋にひっぱり込み、「彼女のほうからアントワーヌの口に唇を投げてきた」。こうしてふたりは恋人となる。

食事に出かけるとき、アントワーヌは、家を別べつに出て往来へ出てから一緒になったほうがいいだろうか、と尋ねるが、ラシェルはそんな心づかいを一笑に付してしまう。日本の恋人たちと同じく、フランスでもアントワーヌのように、人目を気にするのが普通なのだろう。したがって、「あたし？　あたし、まったく平気。どんなことでもあけすけなの！」と言うラシェルの言葉は、この女がアントワーヌのいまだ知らなかった世界の女であることを示している。だからアントワーヌは彼女を、それまでに知ったどんなフランス女性とも違っていると感じ、「彼とおなじ平面に立って」いるその美しい女のなかに、「すばらしい相手を見つけだしたというだけでなく、生まれてはじめて伴侶なり、友人が得られた」という喜びにひたる。

アントワーヌは彼女とふたりの生活を設計してみたくなる。しかし女はまったくの自由を主張し、だからと言って人さまの自由になるわけにはいかぬ、とはねつけてしまう。

アントワーヌは素晴らしい恋人を得た。この生涯かけての大恋愛のいきさつには、次巻『美しい季節』の後半で詳しく接することになるが、アントワーヌははやくも、自分の幸福をジャックに打ち明けずにはいられない。ジャックは兄の「ふしぎな夜あかしをした話、それに引きつづくいろいろなできごとの話」を聞かされたとき、そこに「あくどさ」を感じとって不快を感ずる。そして、それに抵抗するように、あくまで純真でいたいという欲望がわきあがってくるのを覚える。アントワーヌの「愛のひと日」という言葉を聞くと、我慢できなくなって、「ちがう、兄さん！　ちがう！　愛とは、そんなものではないんだ！」と叫んでしまうのである。

そのジャックを、片隅でひそかに想っている娘がいる。チボー家で養女として育てられてきた、いわばアントワーヌとジャックにとって妹のような存在となっていた、混血娘のジゼールである。陽のあたらぬ場所でひっそりと過ごしてきたこの小娘も、いつのまにか、しなやかで豊満な肉体を持つ乙女に成長していた。ジャックはジゼールを美しいと見、かわいいと思う。ジゼールはジャックの合格をわがことのように喜んでいる。ふたりは兄妹として、犬ころのように戯れる。妖しい誘惑にそそのかされながら。しかしジャックにとって、ジゼールは妹として愛すべき娘なのだ。潔癖な彼にとって、たとえ血のつながりはなくとも、ジゼールを女として愛することは、近親相姦的な罪悪感を伴わずにはいない。しかしジゼールは違う。彼女のうちから湧きあがってくる止むにやまれぬものは、やさしいジャックのほうへとひたむきに手をさしのべる……いたいけな日蔭の花！

ジャックは自分によく似た娘、ジェンニーに心を惹かれる。花咲くメーゾン・ラフィットの明るいテニスコート、これはジャックに似つかわしい愛の舞台だ。

メーゾン・ラフィットとは、サン・ラザール駅から数十分のところにある小さな町で、町の一部が、緑の木立のなかに幾筋かの広い散歩道の大まかに交叉する、静かな庭園か公園のようになっており、その中央奥に、いまは博物館になっている美しい城館が、華麗で落ち着いた佇まいを見せている。その城館を頂点とするように、広い散歩道に沿って、豪奢な別荘ふうの建物が贅沢な敷地を占めて立ち並んでおり、散在する花壇が木立の緑と建物の白に映えて美しく、その静寂と優雅な雰囲気は訪れる人を、急に別天地に引き入れられたような心地にさせる。チボー家もフォンタナン家も、ここに別荘をもっていた。

そのフォンタナン家を訪れたチボー家兄弟は、フォンタナン夫人、ジェンニー、そしてあのニコルとその婚約者になった外科医エッケに会う。ジャックに合格の祝いを述べる平凡なフォンタナン夫人、その夫人にお追従を言うアントワーヌ、ぶっきらぼうに笑顔も見せぬジェンニー、こうしたものにジャックは失望する。というよりそうしたブルジョワ生活の雰囲気にとけこめぬ、不器用な自分自身に失望するのだ。だが、とけこめないで悩んでいるという点では、ジェンニーも同じことだった。いとこのニコルにからだを触れられただけで跳びあがってしまうこの過敏な娘は、ニコルとエッケを見て、「こんな幸福なんて……わたしまっぴらだわ」と思い、わけもなく悲しくなって、むしろ死んでしまいたいなどと考える。

そのようなジャックとジェンニーがテニスをすると、まるで互いに傷つけあっているような様相を呈する。しかし、そうした大人げなさという自分と同じ弱点を持っているジェンニーが、ジャックには親しいものに感じられる。だが気むずかしいこのふたりの若者に、心を開いて愛し合える日はたやすく訪れそうもない。

そのジャックがジェンニーに話してきかせるシモン・ドゥ・バタンクールのあわれな結婚披露宴の話は、のちになってアントワーヌの生活に関係してくるひとりの女のこととして、記憶にとどめておいたほうがよい。その女アンヌは、巨万の富を残した男の未亡人で、大きな子供を抱えて、こんどは十四も年下の青年バタンクールと結婚するのである。アンヌは、その前夫を「じわじわ毒殺したのではないか」という噂のある、不気味な年増女であるが、この話をしながらジャックは人間のふしぎさ、人間の相互理解のむずかしさについて語る。

フォンタナン夫人とジェロームとの夫婦仲も、人間のふしぎさの一つの例かもしれない。ジェロームからの救いを求める身勝手な電報に、またしても夫人はまじめに対応しようとする……

店村新次

本書は2008年刊行の『チボー家の人々　3』第13刷をもとにオンデマンド印刷・製本で製作されています。

訳者：
山内義雄
(1894 ～ 1973)
1950年「チボー家の人々」により芸術院賞受賞
訳書マルタン・デュ・ガール「ジャン・バロワ」
　「チボー家のジャック」他多数

解説者：
店村新次（たなむら　しんじ）
(1919 ～ 1991)
同志社大学名誉教授，文学博士
主著「ロジェ・マルタン・デュ・ガール研究」

白水uブックス　40

チボー家の人々　3　美しい季節（Ⅰ）

訳　者©山内《やまのうち》　義《よし》　雄《お》
発行者　及川直志
発行所　株式会社 白水社
東京都千代田区神田小川町 3-24
振替　00190-5-33228　〒 101-0052
電話（03）3291-7811（営業部）
　　（03）3291-7821（編集部）
www.hakusuisha.co.jp

1984 年 3 月 20 日第 1 刷発行
2021 年 6 月 30 日第 22 刷発行
表紙印刷　クリエイティブ弥那
印刷・製本　大日本印刷株式会社
Printed in Japan

ISBN978-4-560-07040-6

乱丁・落丁本は送料小社負担にてお取り替えいたします。

Roger Martin Du Gard: *Les THIBAULT*